Bram Dehouck

# Een zomer zonder slaap

DE GEUS

© Bram Dehouck, 2011
Omslagontwerp Mijke Wondergem
Omslagillustratie © Mark Owen/Arcangel/Hollandse Hoogte
ISBN 978 90 445 1836 8
NUR 305

Met dank aan Femke Beerten,
Sarah Lingier en Dorothee Cappelle

*Drinking in the morning sun*
*Blinking in the morning sun*
*Shaking off the heavy one*
*Heavy like a loaded gun*

*What made me behave that way?*
('One Day Like This' – Elbow)

Het drama in Blaashoek begon zoals alle grote drama's: met een onbenulligheid.

Meteen na de tragische gebeurtenissen rolden sociologen en psychologen over elkaar heen om de oorzaak van deze menselijke aardbeving te duiden. Eenzaamheid, riep de ene. Vervreemding, brulde een andere. De beslotenheid van een dorpsgemeenschap, wist een derde. Het was wachten tot een vierde met inteelt zou komen.

Het was veel simpeler.

De teloorgang van het dorp werd veroorzaakt door een sympathiek project gefundeerd met statistieken, tabellen, metingen en berekeningen. Niemand had het zien aankomen, niemand had iets kunnen vermoeden.

Aan de basis lag een bericht in de plaatselijke krant. Het telde exact 79 woorden:

EERSTE WINDMOLENPARK IN BLAASHOEK
*De leverancier van groene energie Windelektrix kreeg van de provincie en de gemeente de goedkeuring om tien windmolens te bouwen, het eerste windmolenpark van het land. Windelektrix wil dit nog voor de zomer realiseren langs het Blaashoekkanaal, net buiten het dorp Blaashoek. 'Uit onze berekeningen blijkt dat de meest geschikte plaats', zegt hoofdingenieur Didier Deroo. 'Niet alleen zijn daar de beste condities om windenergie te genereren, bovendien is er nauwelijks kans op overlast of hinder.' (hdb)*

Misschien had het woord 'nauwelijks' enkele mensen kunnen alarmeren. Maar dat deed het niet. Volgens sommige overlevenden leidde het spoor terug naar slager Herman Bracke. Eigenlijk begon de ellende ongeveer bij iedereen gelijktijdig, maar laten we voor de overzichtelijkheid nu ook maar met de slager beginnen.

# 1

# Maandag

Herman Bracke lag te staren naar het raam. Het oranje licht dat door de gaatjes van het rolluik scheen, danste op het ritme van zijn ademhaling. Herman keek van het raam naar het zwart van het plafond, geen zuiver zwart maar een mengeling van donkere vlekken. Hij sloot zijn ogen in een poging de vlekken te doen samenvloeien tot het zwarte gat waarin hij wilde wegzinken, maar zijn vermoeide hersenen toverden een nieuw beeld tevoorschijn, een hopeloos beeld voor slapelozen. Herman Bracke zag een schaap.

Schapenvlees is onderschat vlees, dacht Herman. Zelf at hij het liever dan de veel te jonge biefstukken die zo populair waren. Waar was de tijd dat een biefstuk nog kon rijpen en niet babyroze moest kleuren om verkocht te raken?

Hij was nu klaarwakker.

Herman zuchtte. Hij draaide zich om. Achter zijn oogleden lieten de oranje rolluikvlekjes een vage blauwe indruk achter. Ze dansten niet meer. Ze zoemden. Als bromvliegen rond een drol.

Ze zoemden nu al vijf nachten.

Vorige week had het er nog zo veelbelovend uitgezien, toen de tien windmolens van Windelektrix officieel in gebruik werden genomen. Van de grote stad en de omliggende dorpen kwam een volksverhuizing op het feest af. De molens torenden als godenbeelden boven Blaashoek uit. De speeches van de burgemeester en de minister vervlogen in de wind die Blaashoek vanaf dan zou voorzien van energie. Het ego van de burgemeester maakte geen kans tegen de maaiende wieken. Zij eisten alle aandacht op, indrukwekkend als de rotoren van onzichtbare luchtschepen.

Enkel de worstenkraam van Herman evenaarde het succes van de molens. Van voortdurend naar boven turen kregen de mensen honger, en al gauw was het een duwen en trekken rond de kraam. Niet alleen de worsten liepen goed die late juniavond, ook de boterhammen met Hermans beroemde paté verdwenen vlot achter de kiezen. Brackes Blaashoekpaté, zo heette zijn persoonlijke trots, al noemden de klanten het 'zomerpaté'. Hoe de delicatesse werd genoemd kon hem niet zo veel schelen, hij was enkel geïnteresseerd in de complimentjes die hij kreeg – zo'n frisse paté, hoe máák je die? – en zijn vrouw Claire genoot vooral van de kansen die de specialiteit hun bood: de reis naar Spanje, de luxueuze Audi of de waterpartij die ze vorig jaar lieten aanleggen achter aan de tuin. Met alleen de opbrengst van die avond konden ze zich een citytrip veroorloven.

De molens waren een zegen voor Blaashoek, dacht Herman terwijl de burgemeester, goed in het vlees, zijn bulderende lach over de menigte liet klinken. Herman dacht aan de duizenden toeristen die de hypnotiserende wieken zouden lokken. Duizenden toeristen die honger kregen van het omhoogkijken. Duizenden toeristen die zich te goed deden aan Brackes Blaashoekpaté.

Maar ook toen al was Herman verontrust door een dreiging die hij niet kon benoemen. 'Je kijkt alsof je denkt dat het ding op je kop zal vallen', had de burgemeester gelachen, zijn gezicht gezwollen door de jarenlange consumptie van bier, goedkope champagne en hartige hapjes, terwijl Herman hem een servet aanbood om de mostcrd die uit het hotdogbroodje gulpte van zijn mond te vegen.

Herman had enkel geknikt en opnieuw naar boven gespied, waar de molen onverstoorbaar bleef draaien. Zijn nek deed pijn van de duizelingwekkende hoogte en zijn ogen brandden door de weerkaatsing van de late zon op de wieken. Hij moest toegeven dat hij inderdaad overmand werd door de absurde angst dat het gevaarte zou afbreken. Hij zag de wieken vooroverhellen, waarna ze naar beneden klapten met het metalen gejammer dat hij zich herinnerde uit de film *Titanic*. Er was geen tijd om te schreeuwen toen ze als gevleugelde esdoornvruchten naar beneden tolden en met één klap tientallen menselevens verpletterden. Uit het opengebarsten lijf van de burgemeester spatten bloed en pus als de mosterd uit het broodje dat hij nog altijd in de hand gekneld hield.

'Komt er nog wat van?' De onbeleefde vraag wekte Herman uit zijn dagdroom en gedienstig prikte hij een worst. 'Mooi, hè', zei de jongen toen hij wegging, met een knikje omhoog. Herman knikte terug. De wieken stonden nog altijd stevig op hun sokkel. Wat was hij toch een idioot.

Toen hij die avond tevreden in bed ging liggen omdat hij de kraam had uitverkocht, dacht hij eerst dat er iets aan de hand was met de koelinstallatie.

'Hoor je dat?' vroeg hij aan Claire, die zich al in het laken gerold had.

'*Kvorelemaalniks*', had ze gemurmeld.

Hij schoot zijn broek in en stommelde de trap af naar de slagerij. Aan de koelinstallatie mankeerde niets. Toen hij terug op de kamer kwam, was het geluid er nog altijd. Het leek op een auto die stationair stond te draaien. Herman wist dat hij het gebrom moest negeren, anders zou het zich in zijn hersenen vastbijten. Dus draaide hij zich om, sloot zijn ogen en dacht aan Brackes Blaashoekpaté. Een prachtige naam voor een prachtig product. Hoe maak je hem zo fris, zouden de duizenden toeristen hem vragen. Het zou niet lang duren of hij ...

Het gezoem klonk nu als een stationair draaiende truck.

Negeren.

Misschien moest hij de garage ombouwen tot een klein eethuisje, rustiek ingericht om de schijn te wekken dat het al bestond in de tijd van grootvader Bracke, waar de toeristen zouden proeven van de paté en van de andere specialiteiten. Hij kon de toeristische dienst vragen om zijn reclamebladjes te verspreiden. Blaashoek stond nu op de kaart, als hij het slim aanpakte kon zijn slagerij daarvan profiteren. Hij moest er de volgende ochtend eens over praten met Claire, maar voorlopig ...

Het gezoem leek aan te zwellen.

Die eerste nacht besefte Herman, woelend en binnensmonds vloekend, dat het geen auto's waren die hem uit zijn slaap hielden. Het waren ook geen trucks. Het waren de molens.

Claire vond dat hij zich aanstelde. Ze had minachtend gelachen toen hij het haar vertelde, de dag na het feest. 'Je beeldt je iets in, Herman, die molens doen niets anders dan rondjes draaien. Het is de warmte die je parten speelt.' Ze wilde het er niet meer over hebben.

Het zoemen ging ook de tweede nacht door, en de derde, en de vierde. Elk van die nachten lag hij te woelen tot het laken in zijn vel leek te snijden, hij het als een dood gewicht van zich afgooide, de kamer uit schuifelde en beneden in de woonkamer tv ging kijken. Het ene nieuwsbulletin na het andere passeerde zijn vermoeide brein. Bij het krieken van de dag en na het praatje van een sullige weervoorspeller sufte hij naar de slagerij. Elke dag deed de vermoeidheid een nieuwe aanslag op zijn gemoed. Elke avond zwoer hij de molens te negeren. De derde avond deed hij oordoppen in, hij hoorde de molens erdoorheen, versterkt met zijn hartenklop. De dopjes plopten zacht tegen de muur toen hij ze woedend in de duisternis smeet. Claire hief haar hoofd, vroeg bits wat hij in godsnaam weer uitspookte, draaide zich en viel weer in slaap.

Nu, op de vijfde nacht na de officiële opening, lag hij opnieuw naar het plafond te staren en betrapte hij zich op onnozele uiteenzettingen tegen zichzelf over de schoonheid van schapenvlees.

Claire snurkte met lange uithalen. Ze sliep door het gezoem heen. Wellicht door de verdovende roes van de witte wijn. Tot zes dagen geleden snurkte Herman ook. Zijn hand gleed over de heuvel van zijn buik en haakte zich vast onder het elastiek van zijn onderbroek.

We zijn te dik, dacht hij. We zijn allebei te dik en daarom snurken we.

Een nutteloze gedachte in de vijfde nutteloze nacht.

*

Postbode Walter De Gryse hield van de tintelende pijn in zijn benen. De wind viel hem van over het Blaashoekkanaal in de flank aan en rukte aan zijn stuur. Het deerde hem niet. Hij had een brommer of een auto kunnen nemen, alleen al voor de tijdwinst. Maar hij had toestemming gekregen om het traject met de fiets af te leggen, ongeacht het weer, tot hij met pensioen ging. Of tot zijn lijf het zou opgeven.

Voor Walter was de dagelijkse fietstocht van het hoofdpostkantoor naar Blaashoek en terug de beste remedie tegen kwaaltjes. Zijn lijf bestond uit botten, pezen en spieren. Er viel geen grammetje vet bij hem te halen. In zijn vijfentwintigjarige carrière had hij nog niet één dag ziekteverlof opgenomen. Niet één dag! Het had hem niet

populair gemaakt bij de collega's, die bijna zonder uit-
zondering de komst van de bromfietsen en de postauto's
hadden toegejuicht. Terwijl Walter opgewekt zijn fiets
pakte om de zeven kilometer naar Blaashoek te pedde-
len, foeterden zij op de nieuwe routeplanning en staken
ze een sigaret op zodra ze zich hadden onttrokken aan
de blikken van hun overste.

De wind drupte tranen in Walters ogen en zoog het
snot uit zijn neus. Hij gromde en spuwde een fluim in
de graskant. Hij richtte zich op, keek over het water en
zag de molens. Prachtig hoe statig ze over het landschap
heersten. De wind die aan de spaken rammelde, werd
daarboven tot elektriciteit gewiekt. Heerlijk. Vijftien
jaar geleden had Walter als voorzitter van het actieco-
mité Geen Kernafval in Blaashoek de strijd opgenomen
tegen de regering die zulke rommel wilde dumpen in dit
stukje natuurschoon. Thuis had hij in een oude ringmap
alle krantenartikels uit die tijd verzameld. De bouw van
de windmolens in zijn dorp leek hem een persoonlijke
overwinning op de kernenergie en de duistere krachten
die haar overeind wilden houden. Hij schakelde een ver-
snelling hoger om de pedalen in hetzelfde ritme te laten
draaien als de molenwieken.

De molens waren om nog een andere reden prachtig. Ze brachten Walter terug naar de kust, waar hij als
kind elk jaar de laatste week van de zomervakantie door-
bracht. Uren had Walter zandkastelen gebouwd en grach-
ten gegraven, die bij hoogtij onder luid gejuich volliepen
met water. Een échte burcht had hij dan, omgeven door
een échte gracht waar niemand anders over kon. En die
was pas helemaal af met de papieren molentjes die hij
zorgvuldig op zijn bouwwerk plantte. Hoe vaak had zijn
vader hem niet vloekend van het strand geplukt, omdat
in het kleine snikhete appartement het eten koud geworden was terwijl Walter bij een ondergaande zon naar de

molentjes had zitten staren. Na een schooljaar vol leer-stof die hem geen barst interesseerde, hunkerde hij naar de zee, de zon en de molentjes.

Later, toen hij te oud werd voor molentjes en zijn inte-resse verlegde naar bikini's, droomde hij van exotische zeeën met een golfslag die de Noordzee op een vijver deed lijken, een kinderzeetje. Palmbomen en hagelwitte stranden kreeg hij niet te zien. Zijn jeugdige romance met Magda – en vooral haar ongeplande zwangerschap op haar zeventiende – hielden hem in Blaashoek vast. Al achtentwintig jaar woonde hij in haar geboortedorp, in vergelijking met de paradijzen uit zijn dromen niet meer dan een zandbak waarin de kleuters jaloers elkaars zand-koekenkraam beloerden.

In deze zandbak was Walter de kleuter met het kleinste emmertje. Zowat iedereen in het dorp leefde met de ge-ruststellende gedachte dat er altijd iemand minder goed boerde dan hij: Walter de postbode en zijn huisvrouwtje Magda. Het deerde hem niet, hij was gelukkig. Met zijn kleine emmertje had hij ook droomkastelen gebouwd.

Kort na de geboorte van Laura ging hij aan de slag als postbode. Amper een jaar later maakte Lisa het gezin compleet. De opvoeding van de meisjes hapte een groot stuk uit het gezinsbudget. Ondanks het vele rekenwerk dat het hem en Magda kostte, probeerden ze hun een leuke jeugd te bezorgen. Met veel plezier plantte Walter molentjes op de zandkastelen van zijn dochters tijdens de vakantie aan zee. Met Sinterklaas kregen ze altijd minder dan ze wilden, maar ze speelden graag met het goedkope speelgoed. Lisa droeg zonder morren de afdra-gertjes van Laura. Door al die kleine besparingen lukte het om beide dochters aan de universiteit te laten stude-ren. Nu verdiende Laura het dubbele van hem, en als Lisa volgend jaar promotie maakte, verdiende ze het driedub-bele. Door hun drukke agenda kwamen zijn dochters weinig op bezoek. Het speet hem. Geld alleen maakte niet gelukkig.

Walter keek even achterom en zwenkte de tweebaansweg op om de afslag naar Blaashoek te nemen. Hij nam de eerste bocht en knalde met een kort *kadunk* het voetpad op. Tijd om brieven te posten.

*

Herman hoorde de vertrouwde knal waarmee Walter elke werkdag het voetpad opstoof. Hij moest zich even aan de bestelwagen vasthouden. Hij keek naar de halve varkens die als abstracte beeldhouwwerken aan de vleeshaken bungelden. Hij kon zijn blik niet focussen. Het vlees leek uit te dijen en de bestelwagen in te krimpen of omgekeerd, en de zachte geur van het dode vlees, grotendeels onderdrukt door de afkoeling, maakte hem misselijk. Hij was moe, doodmoe.

'Enkel facturen voor jou, vandaag', hoorde hij Walters stem. Herman maakte zich los van de bestelwagen en nam de enveloppen aan. Op een ervan zweefde het logo van de elektriciteitsmaatschappij. Het adres bestond uit schemerige zwarte vlekjes.

'Bedankt', zei hij.

Walter keek de bestelwagen in en snoof.

'Gezellige boel.'

Herman glimlachte en keek ook. Nu zag hij de kadavers haarscherp. Toen vervaagden ze weer.

'Magda komt straks wat van je paté halen', ging Walter verder. 'Leg maar een groot stuk aan de kant.'

Brackes Blaashoekpaté. Herman besefte dat hij dringend een nieuwe pot moest maken. Vandaag nog.

'Ik laat je maar, je hebt hier nog genoeg te doen', zei Walter en hij plaatste een voet op het pedaal, klaar om te vertrekken.

20

'Hoor jij ze ook 's nachts?' vroeg Herman.

Walter nam zijn voet terug van het pedaal.

'Wat zeg je?'

Herman aarzelde.

'Hoor jij ze ook, de molens?'

In Walters gezicht lagen de ogen van het starende schaap.

'Hoor ik ... ik begrijp niet wat je bedoelt.'

'Of je ook ... of je ...'

Walter keek nu alsof in zijn nek het koude metaal gedrukt werd van het elektrische pistool dat hem tot een lamsboutje zou schieten.

'Ah, laat maar.'

De postbode pakte Herman bij de schouder. 'Ga jij deze varkentjes wassen, dan breng ik nog een paar facturen rond.'

Hij knipoogde en reed weg. Herman keek het pezige lijf met de donkere krullenbol na en vroeg zich af of hij werkelijk de enige was die de molens hoorde. Dat kon toch niet? Er moest toch nog iemand zijn die geen nachtrust gegund werd door het geruis? Het gruwelijke idee dat alleen hij elke nacht wakker lag, dat alleen hij die marteling onderging, verstijfde zijn ruggengraat. Alsof hij tussen de vleeshompen in de bestelwagen hing.

Hij keek over de daken en zag ze.

'Monsters', mompelde hij.

*

Er woonde een nieuw meisje in de sociale woning. Walter bestudeerde de naam op de envelop. Hij staarde door de brievenbus alsof ze aan de andere kant op hem stond te wachten. Niets te zien, behalve een lege gang. Hij glimlachte om zijn dwaze gedachte, postte de brief en reed fluitend naar de volgende brievenbus.

*

Saskia Maes werd niet gewekt door het klepperen van de brievenbus. Ze was al ongeveer een uur wakker, wachtend op het moment dát ze de postbode zou horen, en in de bijna onuitstaanbare hoop dat hij vandaag niet opnieuw haar deur zou voorbijrijden. Ze verwachtte het klepperen al niet meer, de hoop was omgeslagen in de zekerheid dat ze ook vandaag geen antwoord zou ontvangen. Waarom zou iemand de moeite nemen om haar een brief te schrijven? Brieven werden geschreven aan belangrijke mensen. Niet aan een onbenul als Saskia Maes. Nee, ze moest goed beseffen waar ze stond: onder aan de maatschappelijke ladder. Niet op de tweede trede, zelfs niet op de laagste, ze lag als een pluisje onder de mat waaraan andere mensen hun voeten veegden. Daaraan dacht ze toen Walter De Gryse de aan haar geadresseerde envelop door de gleuf stak.

Ze veerde overeind en schoot in haar kamerjas, rende – huppelde – door haar gelijkvloerse appartement, opende de deur en loerde in de gang. Daar lag hij, dicht bij de voordeur, een witte vlek die naar haar lonkte als een bankbiljet naar een dakloze. Ze trippelde de gang in, het bloed stroomde dikker en harder door de aders in haar keel, en haar ogen haakten zich vast aan de envelop. Ze was half de gang in toen ze een harde klap in haar gezicht kreeg. Het was geen vuist, het was het plotse besef dat de brief niet voor haar was. Ze stond even stil. De brief was voor Bienvenue, de Senegalese asielzoeker die op de eerste verdieping woonde. Natuurlijk! Hoe kon ze zo stom zijn iets anders te denken? Omdat je gewoonweg stom bént, zei een stem in haar achterhoofd.

Ze sloop op slappe benen dichterbij, haar blik gefixeerd op het adres dat ze nog niet kon lezen. Toen zag ze dat de naam boven het adres kort was. Te kort voor Bienvenues onuitspreekbare naam. Haar hart sprong op. En nu zag ze het duidelijk: er stond 'Mevrouw Saskia Maes', in een sierlijk, vrouwelijk handschrift. Daaronder: 'Blaashoekstraat 27'. Er had nog een A achter gemoeten, want zij bewoonde appartement A en Bienvenue appartement B, maar dat was bijzaak. Vooral nu leek het een detail, nu ze zeker wist dat iemand haar belangrijk genoeg vond om een brief te sturen en ze binnen enkele seconden de inhoud zou weten. Boven het adres stond nog iets wat haar hart een tel deed overslaan: het logo van de verzekeringsmaatschappij in de stad. Het was de brief waar ze al dagen op wachtte.

De envelop scheurde open onder haar nerveuze vingers.

De brief was netjes in drieën gevouwen, en het enige wat ze zag was de adressering, de datum en de aanhef.

Geachte mevrouw Maes, stond er. Ze noemden haar mevrouw, en geachte! Een gevoel van trots stroomde door haar lichaam. Die trots verdween toen ze de rest van de brief las.

*Geachte mevrouw Maes,*

*Wij danken u voor uw interesse in de betrekking van medewerker voor ons secretariaat. Wij hebben uw sollicitatie grondig bestudeerd. Helaas voldoet u niet aan de vereisten die gesteld zijn in de vacature.*

*Wij nemen uw cv op in ons bestand. Als wij een vacature hebben die meer aansluit bij uw profiel, dan kunt u opnieuw uw kandidatuur indienen.*

*Met vriendelijke groet,*

*Severine Baes*
*Directeur Personeel en hr*

Baes, een mooie naam voor een directeur, al had Saskia geen idee wat HR betekende. Ze vouwde de brief terug in de envelop en slenterde naar het appartement. De familienaam van Severine Baes verschilde slechts één letter van de hare, maar hun werelden lagen mijlenver uit elkaar. Ze begreep het wel, de afwijzingsbrief. De mensen hadden haar cv bestudeerd en waren tot de enige juiste conclusie gekomen: ze was het niet waard om mee te draaien in deze maatschappij. Haar aanvankelijke trots zakte als een blok gestold vet in haar maag. Ze was dom, lelijk en nutteloos. En een zwakkeling, want ze kon haar tranen niet bedwingen. Ze kon slechts één iets doen: terug in bed kruipen en de tranen laten oplikken door Zeppos, haar drie maanden oude cockerspaniël.

*

Er was geen paté. Magda De Gryse had het allang gezien. Ze kwam als derde binnen in Slagerij Herman, na de oude mevrouw Deknudt en de vrouw van die rijke stinkerd van een dierenarts Lietaer. Haar blijdschap over de weldadige koelte van de slagerij sloeg meteen om. Terwijl mevrouw Deknudt haar bestelling voorlas, had ze alle tijd om rustig Hermans toonbank te inspecteren. Nadat ze haar blik even had laten zweven over de boerenbrochettes en de countrysteaks zag ze dat er een gat zat tussen de Beauvoordse en de leverpaté. In dat gat hoorde de zomerpaté, of zoals Herman het ietwat belachelijk noemde: Brackes Blaashoekpaté. Maar nu was het gat zo leeg als de hersenpan van haar lieve Walter.

Ze zuchtte en bestudeerde Herman, die voor mevrouw Deknudt vijfhonderd gram filet américain had ingepakt in plaats van gehakte biefstuk en opnieuw moest beginnen. Toen hij over de toonbank leunde om de pot filet américain te nemen, viel zijn haar in vettige lokken over zijn bezwete voorhoofd. Zijn handen beefden. Zijn door-gaans blozende wangen waren bleek, terwijl de gezwollen huid onder zijn ogen griezelig paars kleurde. Hij rekende af voor mevrouw Deknudt. Waar was Claire trouwens? Weer jurken gaan passen in de stad?

'Maar Herman toch,' zei Deknudt, 'nu geef je me een briefje van twintig terug in plaats van een briefje van tien.'

'Ah, sorry', mompelde hij.

Er was iets met hem aan de hand. Hij leek ... dronken.

'Herman, er is geen paté', zei Magda terwijl mevrouw Deknudt het briefje van tien in haar portefeuille plooide en nog voor de vrouw van dierenarts Lietaer kon bestellen. Die keek Magda verstoord aan, maar Magda negeerde haar. Mevrouw de prinses mocht ook eens wachten.

'Ik heb geen tijd gehad, Magda. Ik maak hem vandaag, als het nog lukt.' Hij veegde met een mouw zweet van zijn voorhoofd. Hij wreef in zijn ogen, alsof hij een huilbui voelde opkomen.

'Ik hoop het, Herman.'

Hij zuchtte.

'De molens maken nogal wat lawaai, hè', zei hij. De drie vrouwen keken hem schaapachtig aan, mevrouw Deknudt omdat ze stokdoof was, dat onnozele wicht van Lietaer omdat ze in de lente haar hersenen gaar liet stoven onder de zonnebank, en Magda omdat ze Herman verkeerd begrepen had.

'Je vleesmolen?' vroeg ze en ze beet op haar onderlip om niet lacherig te vragen of hij een slag van de molen had gekregen. Hij antwoordde niet. Hij gromde en nam als een zombie de bestelling van dat Lietaer-mens op. Ze wilde natuurlijk weer het duurste vlees – een country-steak was niet goed genoeg, het moest rúmpsteak zijn.

Magda was zo in verwarring door Hermans belabberde verschijning dat ze countrysteaks vroeg in plaats van de Zwitserse schijven die Walter zo graag lustte. Op weg naar huis fantaseerde ze over wat Herman zo had uitgeput. De hartstocht van Claire kon het niet zijn. Ze glimlachte. Drank, dat was het.

Haar wrevel over de afwezige zomerpaté maakte plaats voor een zaligmakende warmte. Voor het eerst in lange tijd had ze weer iets om vrolijk over te zijn.

*

Zeppos was het beste antidepressivum. Toen Saskia snotterend binnenkwam, was hij onder haar kamerjas gestoven om haar voeten te likken. Giechelend had ze hem naar de sofa begeleid, waar hij haar kuiten en knieholtes aflebberde. De tranen van verdriet werden tranen van het lachen. Ze werd er zelfs een beetje opgewonden van.

Nu ze onder de douche stond, zag ze de positieve kant van het leven. Morgen had ze een afspraak met de maatschappelijk werkster van de sociale dienst, en hoewel ze best bang was voor haar reactie op de mislukte sollicitatie, was er ook goed nieuws: ze was opgenomen in een bestand! Voor de eerste keer in haar leven vonden mensen het de moeite waard haar gegevens te bewaren. Misschien contacteerde de verzekeringsmaatschappij haar voor een andere job. Een functie op het secretariaat was te hoog gegrepen, maar ze wilde gerust ook de post rondbrengen of telefoons doorschakelen. Bovendien typte ze erg snel. Ze maakte natuurlijk nog enorm veel taalfouten, maar daar kon ze op studeren. Hoe dan ook, opgenomen worden in de werfreserve was de eerste stap.

Ze draaide de kraan dicht en stapte uit de douche, frisser dan voorheen, alsof het water niet alleen haar lichaam had gemasseerd, maar ook haar gedachten. Waarom zou ze klagen? Ze mocht in dit prachtige appartement wonen, ook al voelde ze instinctief dat ze het niet verdiende.

Ze maakte haastig haar toilet. Haar hele leven had ze gevangengezeten in een razende carrousel van schuld, boete en arbeid, overdag afgejakkerd als een lastdier, in haar schamele vrije tijd bespot als een lastpost. Plezier en ontspanning waren voor zachtgekookte eitjes. Maar ze was uit dat nest ontsnapt en probeerde nu om af en toe van het leven te genieten.

'Kom, Zeppos,' zei ze, 'het is tijd voor onze wandeling.'

Ze hoefde hem niet te roepen, hij sprintte vanzelf naar haar toe. Ze wreef hem over zijn bruine kopje terwijl hij haar hand likte. Hij is likverslaafd, dacht ze giechelend.

'Heb je je bakje mooi leeggegeten, Zep?'

Ze gluurde in de keuken. De voederbak was brandschoon.

'Kom op, dan.'

Voor ze de deur achter hen dichttrok, keek ze nog even het appartement rond, naar de zithoek die ze met haar laatste spaarcentjes had gekocht om het toch een beetje háár appartement te maken, naar de kast waarop ze de verzamel-cd's netjes gerangschikt had naast de oude cd-speler, naar de ronde eettafel met de goedkope stoelen. Ze boende alles minstens twee keer per week. Het sobere interieur betekende voor haar veel meer dan een verzameling kringloopmeubels. Hier besliste ze zelf wat ze deed. Hier kon niemand haar kwetsen.

*

Zeppos snuffelde kwispelend aan lantaarnpalen en dorpels, en af en toe hief hij een poot omhoog om een blijk van waardering aan de Blaashoekstraat toe te voegen. Saskia voelde zich heen en weer geslingerd tussen het genoegen van een zomerse wandeling en het wrange schuldgevoel dat plezier in haar geval niet hoorde, want elk pleziertje moest je verdienen.

Toen hoorde ze een auto naderen. Ze verstijfde en dook tegen de muur.

'Zep, kom hier', siste ze naar het hondje, dat angstig aan haar voeten kwam zitten. Ze durfde niet te kijken en draaide haar gezicht naar de muur. Ze hoorde de oude motor ronken, ze herkende het geluid. Ze bereidde zich voor op piepende remmen, een slaande deur en geschreeuw en klappen van een woedende opa. Aan haar vlucht uit het verleden zou straks een einde komen, als opa haar in de vuile, groene Mercedes sleurde, terug naar de boerderij. Terug naar haar verdiende loon.

De auto remde af, trok opnieuw op en reed voorbij. Het was een Mercedes, dat wel, maar blauw en schoon. Saskia voelde haar hart terug in haar borst zakken. Haar ademhaling kwam tot rust. Maar de angst zou nooit voorbijgaan. Voortdurend keek ze schichtig om zich heen, dacht ze in het geronk van een grasmaaier de motor van de oude rammelkar te herkennen, of sloeg haar hart een slag over als er een Mercedes langsreed, zoals nu.

Ze moest het van zich afzetten. Ze keek naar het zorgeloze gesnuffel van Zeppos en probeerde te genieten van de zon op haar gelaat. Drie weken woonde ze nu in het dorp – al wist ze niet of je een straat van hooguit honderd huizen een dorp kon noemen – en het beviel haar steeds beter. Toen ze de eerste keer met de bus Blaashoek binnenreed, was haar iets vreemds opgevallen. Langs het Blaashoekkanaal stonden tien grote palen, als de schoorstenen van ondergrondse fabrieken. Maar er kwam geen rook uit, en het hele zicht had iets onwezenlijks. De palen leken geen enkel nut te hebben. Ze verpestten enkel het uitzicht op het landschap.

Enkele dagen later begreep ze dat de palen geen schoorstenen waren. Toen ze de wieken zag malen in de lucht, kon ze zich voor het hoofd slaan. Ze moest toegeven dat de bouwers geen betere plaats hadden kunnen kiezen voor de molens: over Blaashoek waaide altijd een krachtige wind. Ook nu voelde ze hem aan haar kleren trekken, als een kind dat om snoep zeurt.

Ondanks het kleine aantal inwoners bood Blaashoek alle comfort: je had er een slagerij – de slager was een grappige man, en zijn vrouw knikte altijd vriendelijk goeiedag – en een kruidenierswinkeltje, waarvan uitbaatster Patricia graag een praatje maakte. Saskia hield van de ongedwongen vriendelijkheid van het dorp.

Enkel de apotheek van de buurman stapte ze onbewust een beetje sneller voorbij. Ze hoopte daar nooit een stap binnen te hoeven zetten. Sinds ze goed besefte wat de pillen bij haar moeder hadden aangericht, kon ze geen apotheek meer passeren zonder de koude rillingen over haar rug te voelen lopen.

Het enige nadeel was de slechte busverbinding met de stad. Er kwam er slechts één om het uur. Morgen zou ze de bus van kwart over zeven moeten nemen om haar afspraak bij de sociale dienst te halen. Ze wilde dolgraag een autootje, maar ze kon niet rijden. Wie had het haar moeten leren? Opa vond vrouwen achter het stuur net zo'n goed idee als varkens in een cockpit.

Haar dagdroom had haar verder geleid dan ze hier ooit gewandeld had. Ze kwam niet graag buiten, en als ze uit de deur uitging, dan koos ze meestal de andere kant van het dorp. Ze keek om zich heen.

'O, Zeppos, kijk daar eens', zei ze. Het hondje huppelde vol verwachting naar haar toe, maar keerde terug naar de bloembak zodra het tot hem doordrong dat hij geen koekje kreeg. Saskia kneep haar ogen tot spleetjes om het vergulde naambord te lezen aan de overkant van de straat. JAN LIETAER, DIERENARTS. De schittering van de zon schonk de moeilijk leesbare letters een gouden aureool.

29

'Nu hoeven we niet eens naar de stad voor jouw spuit-jes', lachte Saskia. Ze trok Zeppos bij de bloembak van-daan en stak de straat over.

*

De grote schuiframen van de werkkamer boden een prachtig zicht op de tuin. Het gazon glansde, hij had het gisteren nog verzorgd met Gallon Evergreen-gazonmest. Het gras was omzoomd met lavendel, zonnebloemen, wijnranken en jeneverbesstruiken, planten die de sfeer van Zuid-Frankrijk moesten oproepen. Iets wat perfect lukte op deze droge, warme dag. *Pieris rapae* – koolwitjes in mensentaal – vrolijkten de tuin op met hun romantische gefladder. Met gepaste trots keek hij naar de vijf olijfboompjes die de tuin achteraan begrensden. Enkel het tjirpen van geile sprinkhanen ontbrak, de parings-zang die bij de meeste mensen een gelukzalig vakantie-gevoel opriep.

Dierenarts Jan Lietaer zuchtte, en zijn rustige hou-ding – de handen losjes op de rug – verstarde in een kramp. Geërgerd kneedde hij met zijn rechterhand de pols van zijn linkerhand. Sinds een week vonden zijn ogen geen rust meer in de tuin. Elke twee seconden sloe-gen donkere vlekken als monsterlijke naaktslakken op het limoengroene gras, om daarna razendsnel via de schut-ting te verdwijnen. De schaduwen verstoorden de strakke compositie van de tuin, ze draaiden met de wind mee en sneden ongelijkmatige stukken uit het perfect gemaaide rechthoekige gazon. Nog meer dan het feit dat ze er wa-ren, irriteerde het hem dat ze nooit meer zouden verdwij-nen. Hij keek omhoog en zuchtte opnieuw. Hoe zou hij ooit nog bij zijn vrienden kunnen opscheppen over het uitzonderlijke karakter van zijn tuin, als ze voortdurend werden afgeleid door deze spookachtige schaduwen?

Een Chinese marteling, dat waren ze. Telkens opnieuw hakten ze in op zijn levenswerk. En met elke nieuwe schaduw die over het gazon gleed, werd de kramp in zijn handen krachtiger.

Leuke tuin, Jan, maar die schaduwen, om zot van te worden! Hij hoorde het hen al zeggen, en hij zag hun heimelijke glimlach, omdat hun tuin wel minder mooi was, maar tenminste niet werd ontsierd door zo'n stomme windmolen. Erger nog: hij kon zich zo de stem van zijn moeder voor de geest halen, dat ijskoude piepstemmetje: een man met ballen had het voorkomen dat ze net dáár een molen bouwden.

Hij wilde een derde keer zuchten, maar zijn adem stokte. Hij hoorde het zachte getingel van de bel, gevolgd door voetstappen en hijgerig getik op de vloer. De deur van de wachtkamer piepte. Een klant met een hond. Hij trok zijn blik los van de gepijnigde tuin en hij haastte zich naar het bureau.

Jans praktijk was doodgebloed. Sinds de dochter van boer Pouseele dierenarts was, raakte hij zijn klanten in de veeteelt een voor een kwijt. Hij had zich daarom toegelegd op huisdieren, maar hoeveel huisdieren telde Blaashoek? Drie katten en een koppel cavia's. Het deerde hem niet. Dankzij de rijkelijke erfenis van grootvader en papa was zijn praktijk niet meer dan een hobby. En als ook mama eindelijk de lieve Petrus opzocht – wat een rust zou hem dat brengen – zou hij zeker geen financiële zorgen meer kennen.

Dat betekende niet dat hij de enkele klanten die hij telde, verwaarloosde. Hij startte de computer op. Hij rommelde in de lade en legde enkele balpennen en potloden op het bureau. Hij opende de bureaukast en legde drie dossiers op het werkblad. Dat zag er goed uit.

Hij liep de gang in en opende de deur van de wachtkamer. Er zat een meisje dat hij niet kende. Ze droeg goedkope kleren – sportschoenen, witte sokken onder een te korte afgewassen jeansbroek en een geel, loshangend T-shirt, waarvan de kraag al een beetje rafelde. Haar rood-bruine haar had ze in een korte paardenstaart gedraaid. Haar bruine ogen keken intelligent maar schuchter. On-danks het sobere voorkomen was ze niet lelijk. Als ze wat meer aandacht aan zichzelf besteedde, zou ze zeker een paar mannenhoofden doen draaien als ze een wandeling maakte met de cockerspaniël die tussen haar voeten lag.

'Goedemorgen', zei hij vriendelijk.

Het meisje knikte verlegen, de hond spitste zijn oren en sprong met een korte blaf op.

'Komt u maar binnen', zei Jan en hij ging hun voor naar de onderzoekskamer.

Hij wees het meisje een stoel aan.

'Bent u nieuw in het dorp?' vroeg hij nadat hij was neergeploft in de leren bureaustoel.

Het meisje knikte.

'Ik woon hier pas drie weken, in een appartementje.'

'Ah.' De enige appartementen die hij kende, waren die van de sociale woningbouw, dus voegde hij eraan toe: 'Op nummer 27, als ik raden mag?'

Ze knikte en sloeg blozend haar ogen neer.

'En u woont op nummer 72. Ik vond het grappig toen ik dat zag.' Ze stotterde van schaamte. Hij vond haar schattig.

'De cijfers van onze huisnummers hebben we al ge-meen. En ik denk ook onze dierenliefde?' Zijn glimlach ontspande haar.

'Ik ben erg blij dat ik Zeppos mag houden. Ik ga elke dag met hem wandelen, en als ik niet thuis ben, laat ik hem op het binnenplaatsje.'

Jan knikte.

'Dat is goed van u. Zo'n cocker ziet er erg schattig uit, maar hij heeft veel beweging nodig. Veel mensen vergeten dat. Ze kopen een hond en laten dat beest zijn hele leven in een hondenhok slijten. En dan zijn ze verbaasd dat hij elke nacht de buurt wakker houdt.'

Hij rolde met zijn ogen als een teken van verstandhouding. Het meisje giechelde.

'Ik ga elke dag met hem wandelen. Het mag regenen of hagelen of sneeuwen.'

'Ocharme, u gaat die arme Zeppos toch niet door een sneeuwstorm jagen?'

In een seconde kleurden haar wangen en keel bloedrood.

'Nee, nee', stotterde ze, haar handen samengevouwen in een kramp die nog pijnlijker leek dan zijn eigen handenwringen bij het bekijken van de tuin. Geschrokken door haar reactie richtte Jan zich naar de computer.

'Ik ga even een dossier opmaken, en vertel me dan maar wat er met uw hondje scheelt.'

Hij hoopte dat ze het mislukte grapje kon verwerken in de tijd dat hij haar gegevens opnam in het Accessbestand. Het programma was pas geladen – het duurde tergend lang, hij moest dringend een nieuwe computer kopen – toen de voordeur dichtsloeg en het gekletter van hoge hakken klonk. De keukendeur sloeg iets te hard dicht naar zijn gevoel, het gaf aan dat zijn vrouw niet verwachtte dat iemand anders dan hij het zou horen.

'Zo, het programma is klaar.' Hij bracht zijn handen naar het toetsenbord. 'Uw adres ken ik', knipoogde hij. 'Maar vertel me ook eens uw naam.'

Drie letters van haar voornaam had hij al getypt toen de hakken zijn kant op kwamen. De deur van de praktijk zwaaide open en Catherine verscheen half in de deuropening. Nog steeds, na vijftien jaar huwelijk, maakte haar stijlvolle schoonheid hem week. Zijn maag kromp samen toen haar lange blonde haar over een schouder gleed.

'Ik heb rumpsteak mee voor vanmiddag', zei ze. Hij

knikte, en pas toen merkte ze de jonge vrouw die roerloos op de stoel zat. Het hondje had zich naar haar toegedraaid en kwispelde nieuwsgierig met zijn staart.

'O, je hebt bezoek. Ik laat je, ik ga nog even de deur uit. Maak je over het eten geen zorgen, ik ben op tijd terug.'

Voor ze de deur sloot, zei ze nog 'goeiedag' tegen het standbeeld dat aan de stoel vastgeklonken leek. Betekenisvol trok ze haar wenkbrauwen op.

*

Paniek sloeg om zijn hart. In de melodie van Magda's stem herkende Walter dat ze een antwoord verwachtte, maar hij had niet geluisterd. Hij was verzonken in een krantenartikel over de rechtszaak die van start ging in september. Het proces van de eeuw, zo stond er in vette letters boven aan de pagina. Een politieagent uit Ieper had vijf mensen koelbloedig vermoord. Zelfs een jaar na de feiten toonde hij geen spijt. De internationale media smulden van zijn arrestatie en al gauw rolden de koppen van zijn overste en de minister van Binnenlandse Zaken. Voor het proces week de Ieperse rechtbank uit naar de Expohal aan de rand van de stad, zoveel belangstelling verwachtte ze van pers en publiek. De krant interviewde een vrouwelijke profielschetser wier hulp de speurders hadden ingeroepen. Ze had snel gemerkt dat de Ieperse politie geknoeid had als een stel amateurs. En dat de dader haar op een meesterlijke wijze had misleid, daar lag ze nog altijd van wakker.

Walter plooide de krant dicht en ging naar voren zitten, met zijn armen gekruist op tafel. Hij wilde gerust zijn onoplettendheid tegenover Magda toegeven, maar hij vreesde dat de boete voor de misdaad weer buiten proportie zou zijn. Eerst een preek van een half uur en daarna vanavond in zijn eentje de afwas doen. Hij wachtte de tirade af, maar die kwam niet. Magda stofte met haastige bewegingen de kandelaars op de vensterbank af en herhaalde gewoon wat ze gezegd had: 'Er is iets aan de hand met Herman.'

Walter herinnerde zich Hermans bleke gezicht en afwezige uitdrukking. Magda keek even achterom, en zag in zijn aandachtige houding een reden om verder te gaan. Ze leek een orkest te leiden met de stoffer. Er zaten geen kaarsen in de kandelaars. Kaarsenloze kandelaars, hoe nutteloos kon een voorwerp zijn?

'Het was te verwachten, als je ziet wat Claire allemaal van hem eist. Laatst zag ik haar weer in een nieuwe jurk. Ze heeft er nu voor elke dag drie. En die reizen, die kosten hem een fortuin. En heb je die auto al eens goed bekeken?'

Hermans Audi Q7 was een luxueus monster, maar auto's interesseerden Walter niet erg. Hij zat liever op de fiets. Magda reed met een tweedehands Citroën C3, al liet ze regelmatig merken dat een Alfa Romeo of een Volkswagen beter bij haar pasten.

'Die auto is inderdaad nogal protserig', zei hij toen maar.

'Protserig?' Ze liet het onnozele woord even tot zich doordringen. 'Dat is het minste wat je ervan kunt zeggen. Het is een auto voor multimiljonairs! Bedenk eens hoeveel worsten en paté hij daarvoor moet verkopen! En het is nooit genoeg voor Claire. Altijd meer en meer en meer. Hij gaat eraan onderdoor.'

Walter knikte. Hij zweeg, want Magda was op dreef, en ze bewaarde het beste altijd voor het laatste. Ze legde de stoffer op tafel en plaatste haar handen in haar zij. Hoewel er behalve hen niemand in de kamer was, praatte ze stiller.

'Hij is aan de drank. Ik zag het vanochtend in de slagerij. Hij kon amper op zijn benen staan. Hij trilde en zweette als een alcoholist.' Het laatste woord spuwde ze uit.

'Ik weet niet of het zo erg is', probeerde Walter, maar hij werd meteen onderbroken.

'Natuurlijk is het zo erg. Je had het moeten zien! Trouwens, er was geen zomerpaté meer. Excuseer, Bra-ckes Blaas-hoek-pa-té was uitverkocht. Hij wordt slordig.'

'Ik had hem nochtans gevraagd een stuk voor jou opzij te houden.'

'Ah, ja', zuchtte Magda, en in die zucht hoorde Walter haar jarenlange frustratie dat hij nooit iets voor elkaar kreeg. Hij slaagde er zelfs niet in een stuk paté te reserveren bij de plaatselijke slager. Ze nam de stoffer van tafel en verdween in de keuken.

'Er woont een nieuw meisje op nummer 27.' Hij telde de seconden voor ze terug in de deuropening verscheen. Nooit meer dan vier waren het er.

'Wat zeg je?'

'Er woont een nieuw meisje op nummer 27. Saskia Maes, ik postte vanochtend een brief voor haar.'

Ze liet de woorden even bezinken. Ze haalde haar schouders op.

'Je bedoelt dat zielige scharminkel? Die zit daar al drie weken. Je loopt, zoals steeds, kilometers achter.'

Hij bloosde.

'Het was een brief van de verzekeringsmaatschappij in de stad.'

Ze twijfelde geen seconde.

'Dan zal ze daar schulden hebben, zeker?' En ze voegde eraan toe: 'Woont die neger er nog altijd?'

'Zijn naam is Bienvenue. Vorige week gaf ik nog een pakje voor hem af.'

'Een pakje?' Ze wachtte.

'Ik weet niet wat erin zat. Er stond geen afzender op.'

'Een louche handeltje.'

'Hij doet allerlei klusjes voor de gemeente. En hij knikt altijd vriendelijk als hij naar de stad fietst.'

'Daar zou hij beter blijven.'

'Hij doet niemand kwaad, Magda.'

'Hij mag dan niemand kwaad doen, hij doet ook niemand goed.'

Ze ging terug de keuken in en hij hoorde haar vanaf het fornuis eraan toevoegen: 'Behalve de slotenmaker dan.'

*

Jan Lietaer staarde naar de tuin. Hij zag de schaduwen en gruwde van de aanblik. Daarna wandelde hij naar de woonkamer en ging voor de wapenkast staan, een metalen gedrocht dat niet in de ruimte paste. Catherine had het ding al meermaals vervloekt, maar Jan hield ervan, en nog meer van de inhoud. Hij opende de kast, ademde de geur diep in en streelde de wapens. De Winchester 70 Featherweight, de Beretta Silver Pigeon III en zijn favorieten: de fantastische Browning B525 Hunter Elite en de oude Sauer van zijn grootvader. Helemaal onderaan lag het kroonjuweel. Geen jachtwapen, maar de Remington Rand M1911A1, een pistool dat hij gekregen had van zijn vader, die het, naar eigen zeggen, gekocht had van een Amerikaanse soldaat net na de bevrijding. De soldaat had er maar drie keer mee geschoten – en niemand gedood. Jan had het pistool nooit gebruikt, maar hij onderhield het met liefde. Heimelijk verlangde hij dat een nachtelijke inbreker hem ertoe zou verplichten de laatste vijf kogels af te schieten. Hij nam de Sauer, het lichtste wapen uit de collectie. Hij haalde een sixpack bier uit de koelkast en ging de tuin in.

*

Toen ze voorbij de apotheek kwam, merkte Saskia Maes niet dat ze werd gadegeslagen door Ivan Camerlynck. De apotheker stond bij het linkerraam, aan het oog onttrokken door het rek met zonnecrèmes dat hij tijdens de zomermaanden in de etalage zette. 's Winters koos hij voor hoestsiroop en keelpastilles. Ivan Camerlynck trok zijn neus op toen hij het meisje zag. Ze wandelde alsof het leven één grote vakantie was. Ze zag er fit en gezond genoeg uit om te werken. Maar ze koos er blijkbaar voor van de staat te leven, van het belastinggeld van andere mensen, mensen zoals hij, die eerlijk werkten voor hun geld. Ze was gekleed als een slons. Onvoorstelbaar dat mensen die de hele dag niets te doen hebben, niet eens de tijd namen om zich fatsoenlijk te kleden. Maar wat werkelijk zijn maag deed keren, was dat stomme beest dat langs haar liep.

Hoeveel keer had hij het niet gezien op tv? Armlastigen die klaagden dat ze niet rondkwamen met hun uitkering, maar die er wel een halve dierentuin op na hielden. Oké, die kleine cocker was schattig, met zijn lange oren en zijn huppelende kontje, maar hoe betaalde dat wicht dat? Ivan Camerlynck knarsetandde. Hij kon zich wel inbeelden hoe die wipkip haar uitspattingen betaalde. Daar hoefde hij geen tekeningetje bij te maken. Een pijpbeurt voor drie blikken hondenvoer. Zoiets.

Het kon hem helemaal niets schelen dat dit apenland naar de verdoemenis ging, maar hij kon het niet aanvaarden dat al die uitspattingen Blaashoek hadden bereikt. En nog wel naast zijn deur. Ivan Camerlynck snoof luid door zijn neus.

Het lag ook allemaal aan dat achterlijke stadsbestuur. Wat hadden ze de laatste jaren uitgevreten? Eerst hadden ze het Blaashoekkanaal gebaggerd. Waar was dat in 's hemelsnaam goed voor? Als er een vrachtschip zou proberen door te varen, zat het na twee meter vast in

de eendenstront. Nee, die tienduizenden euro's bagger-
werk werden geïnvesteerd, volgens het verslag van de
gemeenteraad, *om de pleziervaart mogelijk te maken*. De pleziervaart! Regelmatig lagen langs de kade kleine jachten
aangemeerd, bestuurd door vadsige parvenu's in witte
broeken en geruite hemden, allemaal vriendjes van de
burgemeester uiteraard, en ongetwijfeld even grote boe-
ven.

Daarna hadden ze het huisje van de overleden buur-
vrouw opgekocht en er sociale appartementen van gemaakt. Hij had af en toe over het muurtje gekeken. Zulke
zaken hield je het best in de gaten, voor je het wist begin-
gen ze een bouwovertreding. De badkamers die ze instal-
leerden, waren mooier dan de zijne. En voor wie?

Op zijn aangetekende brieven aan de burgemeester
kwamen nietszeggende antwoorden. Op de benedenverdieping woonde eerst een vrouw met twee jonge kinderen. Wat een kabaal maakten die onopgevoede deugnie-
ten! Ivan was altijd op zijn hoede als de moeder met een
van die twee vingervlugge boefjes in de apotheek kwam.
Kort daarna was de vrouw van de ene op de andere dag
verdwenen en kwam een donker type op de eerste verdieping wonen. De brede, weldoorvoede kolos zag er niet uit
als een arme vluchteling. Aan de luide gesprekken die
Ivan door de muur heen hoorde, leidde hij af dat de man
zich geen zorgen maakte over zijn telefoonrekening.

En het mooiste moest nog komen: een week geleden
was het windmolenpark geopend. Tien van die torenho-
ge, zotdraaiende kutmolens! En wat hadden zijn dorpsgenoten gedaan? Protesteerden ze toen ze van de bouw-
plannen hoorden, al die slimmeriken die hem omring-
den? De helft van hen had niet eens het krantenartikel
gelezen dat door de plaatselijke journalist, een marionet
van de burgemeester, was weggemoffeld op pagina drie
van de krant. De sukkels die hij erover aansprak, vonden

het molenpark geweldig. Het zou Blaashoek uit de anonimiteit halen, dachten ze. Blaashoek zou bekendstaan om zijn groene energie, blaatten ze. Eindelijk gebeurde er eens iets in het dorp, mekkerden ze. Gehersenspoeld door de holle woorden van de machthebbers, dát waren ze. Maar Ivan dacht er niet aan zelf een petitieactie te starten of bij de plaatselijke pers zijn beklag te doen. Hij had zich rustig gehouden. Het moesten niet altijd dezelfden zijn die voor het algemeen belang opkwamen. Zoiets werd je toch niet in dank afgenomen. Met lede ogen keek hij toe hoe zijn dorpsgenoten naar het openingsfeest trokken en zich volpropten met de worsten en de van slachtafval geperste paté van die vette slager. Stelletje sukkelaars! Als hij er zelf niet woonde, zou Ivan nog menen dat Blaashoek het verdiende.

Hij snoof. Het meisje was stilletjes in het huisje verdwenen. Hij kon haar amper horen. Zo geniepig had ze leren zijn om haar klanten te ontvangen. Hij verliet zijn plaats achter het rek.

Hij ging naar de werkplaats achter in de apotheek, en de afschuw voor het meisje maakte plaats voor een gevoel van opwinding. Hij verheugde zich erop de Triamcinolonacetonidezalf te bereiden voor de eczeem van boerin Pouseele. Het was geen eenvoudige bereiding, de zalf schiftte gemakkelijk. En binnenkort kwam mevrouw Deknudt langs voor de zinksiroop. Ook al was dat een fluitje van een cent, hij keek ernaar uit.

Hij was geen apotheker geworden om alleen pijnstillers, zonnecrèmes en pleisters te verkopen. Dan kon hij evengoed winkeljuffrouw worden. Zijn passie lag in de zelfgemaakte medicijnen. Reeds als student blonk hij uit in het maken van zetpillen, de moeilijkste bereiding van allemaal. Enkel met geduld, precisie en koelbloedigheid verkreeg je het perfecte resultaat. Het was aartsmoeilijk om het geneesmiddel homogeen over de zetpil te verde-

len. Bovendien moest de pil smelten bij lichaamstempe-
ratuur, niet bij kamertemperatuur. Eerst verwarmde je
het poedermengsel tot het geheel gesmolten was. Daarna
liet je het mengsel afkoelen. Je had weinig tijd, want de
massa mocht niet stollen. Stalen zenuwen waren nodig
om bij de juiste temperatuur de bereiding in de vormpjes te gieten. Als je tot slot de vormpjes uit de koelkast
haalde, bad je dat de pillen er niet in bleven kleven.

Het was al jaren geleden dat hij zetpillen had gemaakt.
Toen de dochters van postbode Walter De Gryse jong waren, kwam Magda wekelijks met een recept, tot zijn grote
vreugde. Zijn laatste zetpilpatiënt, herinnerde hij zich
nu, was Wesley Bracke geweest, de zoon van de slager.

*

De weelderige lippen van Catwoman sloten zich rond
zijn erectie. Haar hoofd ging zachtjes op en neer terwijl
haar tong langs zijn lul gleed. Haar wangen werden hol
onder de inspanningen die ze leverde. Ze begon traag,
maar haar bewegingen versnelden samen met zijn ademhaling. Ze drukte haar tongpunt tegen zijn eikel, ze zoog
langs de rand naar de voorkant en begon hard op en neer
te likken.

Nu was het Machteld, het mooiste meisje van de klas,
die op hem wipte. Haar borstjes dansten op het ritme van
haar heupen.

Wes Bracke rukte aan zijn stijve penis, die hij om-
zwachteld had met toiletpapier. Sinds zijn moeder vragen begon te stellen over het slinkende aantal zakdoeken
in de badkamerkast, was hij overgeschakeld op het papier. De aanpassing had heel wat voordelen. Hij hoefde
de stinkende, hard geworden zakdoeken niet meer in
zijn nachtkastje te verstoppen. Hij kon het vuile papier
ongezien door het toilet spoelen, en een verdwenen rol

wc-papier viel minder op dan het onverklaarbare verdwijnen van de zakdoekenvoorraad.

Machteld kreunde naar haar hoogtepunt toe en Wes
spoot zijn warme zaad in het papier. Hij slaakte een
zucht, bleef enkele seconden suffen, duwde de laatste
resten sperma uit zijn lul en maakte alles schoon. Hij
trok zijn kleren weer aan. In dit weer droeg Machteld
wellicht een strak topje en zo'n piepkleine short die een
heerlijke blik bood op haar benen. Wes vervloekte de vakantie alleen al omdat hij Machteld bijna twee maanden
niet zou zien. Het leek er met zijn schoolrapport niet op
dat zijn ouders hem vaak naar de stad zouden brengen,
zeker niet voor een feest, en de kans dat zij zich liet zien
in Blaashoek was onbestaande.

Wes opende de deur en dook in het toilet. Hij dumpte
het papier in de pot voordat hij zijn broek liet zakken om
zittend te pissen. De ervaring leerde dat hij alle kanten
op sproeide als hij het rechtstaande probeerde na een
rukbeurt.

'Wesley, ben jij dat?'

Zijn moeder. Hij voelde zijn lul en ballen verstrakken.

'Ja, wie anders? En noem me Wes, niet Wesley.'

Hoeveel keer moest hij dat nog zeggen?

'Het eten is klaar.'

Hij zuchtte. Hij stond op, keek nog eens naar het bewijsmateriaal om het daarna met één druk op de knop
weg te spoelen.

In de keuken zaten zijn ouders al klaar. Ook al zou je
denken dat na een dag in de slagerij de worsten en de
hamburgers hun de strot uit kwamen, toch aten zijn ouders vlees met hopen. Brood, groenten en aardappelen
gedoogde vader Bracke hooguit als versiering op zijn
bord; een maaltijd was geen maaltijd als er niet minstens
een sappig stuk vlees aan te pas kwam. Vanavond stonden er koteletten op het menu.

Was het een goed moment om zijn nieuwe levenswijze kenbaar te maken? Zijn vader zag er nict goedgeluimd uit. Eerder als een lijk uit een slasherfilm. Maar wat maakte het uit? Zijn vader zou sowieso woest zijn over Wes' beslissing.

Toen zijn moeder een kotelet op zijn bord wilde scheppen, stak hij zijn hand op in een afwerend gebaar.

'Geen kotelet voor mij, mams.'

Het stuk vlees bleef boven de tafel zweven. Zijn moeder twijfelde en keek naar zijn vader. Een druppel vet viel op het tafellaken.

'Ben je ziek?'

Wes schudde het hoofd.

'Ik ben vegetariër geworden.'

De vloek van zijn vader deed de glazen in de kast rinkelen.

# 2

# Dinsdag

Het schaap hupte de helling op. Herman pufte erachteraan, zijn ogen gericht op de donkere krullenbol. Het vloeibare beton waarmee zijn longen leken vol te lopen maakte ademen moeilijk, zijn aders konden de kokende bloedstroom niet meer aan, zijn hoofd kon elk moment exploderen. Hij wist niet wat hij achter de glooiing zou aantreffen, maar aan het opgewonden gedraal van het schaap leidde hij af dat het een paradijs moest zijn.

Het schaap draaide de kop. Herman herkende het gezicht van Walter De Gryse. Op handen en knieën bereikte hij de top. Het wilde gras waaraan hij zich omhoogtrok sneed in zijn bloedende handen, zijn nagels braken op de droge aarde en scherpe randen van keien brandden door het broze vel van zijn knieën.

Boven op de heuvel krabbelde Herman overeind terwijl het schaap naar beneden galoppeerde. Hij slaakte een kreet. Duizenden windmolens klapwiekten en zoemden. Een leger geestesgestoorden. Een zwerm razende bijen. Aan hun voeten krioelden schapen in een zee van wol. Hun gemekker klonk alsof ze hem uitlachten.

Hij schreeuwde.

Het werd zwart voor zijn ogen. Een zwart samengesteld uit de donkerste paarstinten, bespikkeld met trillende witte vlekjes. Zijn ogen wenden aan het duister en hij herkende Claire in de donkere homp naast hem. Ze verroerde zich niet. Ze snurkte zacht. Wellicht had hij

45

enkel geschreeuwd in zijn droom.

De wekker gaf 2.13 uur aan. Hij had voor het eerst sinds lang geslapen, ongeveer drie uur. Verder slapen zou niet lukken, dat wist hij nu al, want zodra hij zijn ogen had geopend, was het gezoem zijn hersenen binnengedrongen als een slecht liedje dat je niet uit je hoofd kan bannen.

Herman zwaaide zijn benen uit bed en verliet zo stil mogelijk de kamer. Vandaag was de sluitingsdag, maar voor hij aan de boekhouding begon, wilde hij nog enkele potten Blaashoekpaté maken. Het voordeel van slapeloosheid was dat je absoluut geen tijd tekortkwam om te werken.

*

'Kom binnen, Saskia.'

Saskia stond op van de plastic oranje stoel en ging het kantoor van Dorien Chielens binnen. MAATSCHAPPELIJK WERKSTER stond op het bordje naast de deur waarnaar Saskia een half uur had zitten staren. Het kantoor was ruim maar benauwd. De witte meubels moesten het een klinische en neutrale uitstraling geven. De ruimte weerspiegelde vooral Doriens chaotische karakter: over het hele bureau lagen dossiers en de archiefkasten boden een blik op hangmappen vol papieren ezelsoren. Een zacht vrouwenparfum vermengde zich met de lekkere geur van pasgeprint papier.

Dorien opende een raam.

'Als het 's morgens al zo warm is, zal het wel gaan onweren vanavond', zei ze. 'En als je geen airco hebt, moet je het lawaai van de straat voor lief nemen.'

Ze glimlachte naar Saskia, die gebogen op een stoel zat, met de afwijzingsbrief in haar handen geklemd. Ze durfde er niet naar te kijken, want dan begon ze te zweten.

'Waar heb ik … Je dossier … Ah', fluisterde Dorien terwijl ze een dun mapje van onder een stapel trok en het openvouwde om het kort te bestuderen. Ze keek als een dokter die een vreselijke ziekte had ontdekt.

'Ben je hier gemakkelijk gekomen?'

'Ja, hoor, met de bus van half acht.'

Dorien keek op haar horloge en fronste haar wenkbrauwen.

'Het spijt me dat we geen woning voor je hadden in de stad. Je woont in, eh, wat is Blaashoek eigenlijk? Een woonerf?'

'Geen idee, sorry.' Een ongemakkelijk gegiechel ontsnapte aan Saskia's keel, maar ze ging snel verder. 'Ik vind het erg leuk in mijn appartement. Ik ben er zeer blij mee.'

Dorien glimlachte.

'We zullen proberen iets anders voor je te vinden, maar ik kan niets beloven. We zitten erg krap.'

'Dat hoeft echt niet. De mensen zijn vriendelijk. Ik woon er graag.'

Dorien keek haar aan alsof ze net had gezegd dat ze graag in het riool woonde. Toen sloeg ze haar hand op het dossier, als een rechter die een vonnis velt.

'Goed, des te beter. Valt het een beetje mee met … Wie woont daar boven je? Freddy …'

'Bienvenue.'

'Ah, ja, Freddy was de vorige bewoner. Mja, die Senegalees. Over hem weet ik niets, mijn collega behandelt zijn dossier. Maar alles verloopt vlot?'

Saskia knikte. 'Ja, hij is lief. Hij heeft geholpen om mijn zithoek in elkaar te zetten. En hij zegt zo grappig bonjour als ik hem tegenkom.'

Alleen als hij praatte, aan de telefoon of als er vrienden op bezoek waren, was ze bang. Niet van hem, maar van zijn zware basstem. Zijn bulderlach schudde haar door elkaar. Ze was het gewoon dat op hard gepraat altijd harde klappen volgden, zoals de donder op de bliksem.

Dorien wuifde met een blad onder haar kin.

'Hoe zit het met je hondje? Ga je ermee wandelen?'

'Ja, elke dag. Zeppos is heel braaf, hij blaft nauwelijks.'

'Mooi zo. Geef 'm maar voldoende water, dat hij niet uitdroogt in deze hittegolf.'

Dorien glimlachte en pufte.

'Ik verzorg hem heel goed, ik ben zelfs met hem naar de dierenarts geweest. Hij moest nog een vaccin hebben.'

'En kon je dat betalen?' Doriens vraag kwam snel en hard aan.

Saskia voelde zich helemaal warm worden. Op haar rug begon een jeuk te woekeren, als toen ze allergisch reageerde op de goedkope zeep van oma.

'Ja, ik had ... ik heb het geld opzijgelegd, ik kan nog ...'

Ze stotterde van de spanning. Dorien hief haar handen in de lucht.

'Kalm maar, Saskia. Ik wilde je niet beschuldigen. Mijn vraag kwam er een beetje onbehouwen uit. Je weet dat ...'

'Ik heb mijn bankafschriften mee.' Saskia boog voorover om haar handtas te nemen, een stoffen ding dat ze zelf in elkaar had genaaid.

'Stop, stop, Saskia', lachte Dorien. 'Ik geloof je. Je hoeft het niet te bewijzen.'

Saskia ging opnieuw recht zitten, enigszins gerustgesteld. De afwijzingsbrief kreukte in haar schoot, maar ze merkte het niet.

'Over geld gesproken', ging Dorien verder. 'We zijn een procedure gestart tegen je grootvader.' Ze stak haar kin in de lucht, alsof het gemeentebestuur net had beslist dat ze hem morgen in het openbaar zouden onthoofden op de markt.

'Ik weet niet of dat een goed idee is', stotterde Saskia. 'Ik wil niet dat er problemen komen, ze hebben altijd goed voor me gezorgd.'

'Goed voor je gezorgd? Goed voor je gezorgd?' Dorien leunde voorover. 'Voor jou is er helemaal niet gezorgd!'

Saskia begreep niet wat ze bedoelde. 'Ik kreeg ...'

'Saskia, wat je grootvader deed noemen wij slavernij. Oké, je kreeg te eten en je sliep in een bed, maar dat is niet genoeg. Als je werkt, word je daarvoor betaald, zo gaat het in deze maatschappij.'

'Volgens opa is een vrouw het niet w...'

'Onzin. Onzin. Onzin.' Dorien hief haar handen op. 'Wat je grootvader je allemaal verteld heeft, is onzin. Vrouwen zijn evenveel waard als mannen. Jij bent evenveel waard als iemand anders.'

Saskia bloosde. Het plezierde haar dat iemand dat zei, en ze wist ergens wel dat het waar moest zijn. Ze wist het, maar ze voelde het niet.

'We hebben twee klachten tegen je grootvader. Enerzijds heeft hij je nooit betaald voor je werk op de boerderij, anderzijds heeft hij werkloosheidsuitkeringen achtergehouden.'

'Werkloosheids...?'

'Als je niet kunt werken, krijg je geld van de overheid. Om te overleven. Je grootvader inde ook zo'n uitkering voor jou, alleen heb je nooit iets van dat geld gezien.'

Dat moest een vergissing zijn geweest, dacht Saskia. Misschien had hij het geld voor haar opzijgelegd. Opa was ouderwets, natuurlijk, hij had een bepaalde brutaliteit die ze herkend had bij velen van de andere boeren die over de vloer kwamen. Maar hij sloeg haar enkel als ze fouten had gemaakt. Hadden haar grootouders haar niet in huis genomen, dan was ze weggekwijnd in een of ander tehuis. De verhalen die opa vertelde over dat soort instituten, waar je als straf een hele nacht onder een ijskoude douche werd gezet, of waar je werd misbruikt door nachtwakers, konden haar zelfs op een dag als deze doen bevriezen van schrik. Ze mocht niet klagen over haar grootouders, die zelf onnoemelijk hadden geleden tijdens de oorlog. Het levensmotto van oma was ook het hare geworden: hard werken en niet klagen. 'Iemand die goed zijn best doet, heeft geen tijd om te klagen', zei ze zonder op te kijken van haar werk, toen Saskia eens vroeg waarom zij nooit naar een pretpark gingen zoals de kinderen op school. Dat antwoord maakte diepe indruk. Saskia bewonderde de werklust van oma. Als Saskia gestraft werd door opa, was ze altijd ergens in de weer. Saskia was blij dat oma niet wist hoeveel fouten ze maakte. Als oma iets merkte, dan bewaarde ze de vrede en zweeg ze erover. Het voelde als verraad hen af te vallen.

Saskia besefte plots dat ze niet meer luisterde naar Dorien, die met weidse gebaren uiteenzette hoe het systeem haar grootvader zou straffen voor zijn misdaden.

'... weten we niet zeker. Maar we hebben er goede hoop op.'

Ze zweeg. In de stilte die volgde, wachtte Dorien op een teken van waardering. Een eenmansapplaus. Dat kreeg ze niet. Saskia voelde zich er schuldig over – schuldgevoel was een tweede natuur geworden – maar ze deelde Doriens concept van goed en fout niet. Ze voelde zich vies. Ze wist dat het leven bij haar grootouders onhoudbaar werd, omdat ze iets wilde maken van haar eigen leven. Maar net die verlangens zadelden haar met een nog groter schuldgevoel op. Dat ze zelf niet voor het boerenleven koos, betekende niet dat ze ondankbaar was of opa en oma veroordeelde. Ze wilde gewoon het verleden vergeten en eindelijk beginnen aan een toekomst. Zonder schuld of boete.

*

Magda wachtte bij het woonkamerraam. Al anderhalf uur. Eerst was Claire uit de slagerij gekomen en met de Audi naar de stad gereden. Vanavond zou Hermans rekening weer enkele honderden euro's lichter zijn. En nu stond die suffe Wesley van hen te dralen met zijn fiets. Arme jongen, mama was te liefdeloos om hem een lift te geven.

Maar dat kon Magda allemaal niet schelen. Hém wilde ze zien. Zag Herman er nog altijd zo ellendig uit als gisteren? Misschien erger! Was zijn veer eindelijk gebroken? Ze smulde van de verhalen over hoogmoedige zelfstandigen die de marmeren vloer onder hun voeten voelden wegzinken, de Audi moesten ruilen voor een roestige Hyundai en de villa noodgedwongen verkochten om te hokken in een groezelig appartementenblok.

Iemand die haar achter het gordijn opmerkte, zou haar voor gek verklaren dat ze al zo lang naar een slagerij loerde tijdens de sluitingsdag. Maar ze voelde dat Herman begonnen was aan zijn afdaling naar de zelfvernietiging, en zijn gezin meesleurde. Van dat spektakel wilde ze geen moment missen.

In haar eigen leven zou er niets spraakmakends meer gebeuren, daar had ze zich bij neergelegd. Althans dat probeerde ze, al kon ze niet ontkennen dat haar soms een verongelijkt gevoel overviel. Simpele Walter was tevreden met zijn al even simpele leven, maar zij wist van zichzelf dat er meer in had gezeten: ze was mooi geweest, ze studeerde met het grootste gemak, het leven lachte haar toe tot ze zich liet bevruchten. Misschien was dit alles verteerbaar geweest in een andere omgeving, maar hier moest ze elke dag aanzien hoe lelijke Claire bereikte wat eigenlijk voor mooie Magda was weggelegd.

Het recht zou zegevieren. Magda voelde het. Het wond haar op, het maakte haar warmer dan de zwoele stemmen van alle televisiedokters samen. Als je eigen leven mislukt, is er niets mooier dan het leven van een ander nog harder te zien mislukken. Ze streefde niet meer naar haar eigen geluk, ze teerde op het ongeluk van anderen. Ze had een neus ontwikkeld voor mislukking, voor hoogmoed die voor de val komt. En haar neus vertelde haar dat er een smakelijk spektakel op komst was. En zij keek van op de eerste rij toe.

*

Wes had helemaal geen zin in de rit. Hij zuchtte terwijl hij de bandenspanning controleerde. Hij had al zeker een jaar niet meer met de fiets gereden. Naar school ging hij met de bus. En als hij naar de stad wilde, vroeg hij zijn moeder hem te brengen, als ze niet in de slagerij werkte.

Maar de fiets was zijn enige kans om Machteld te ontmoeten. Ook al leek het frame van de citybike met lood gevuld, hij zou er nu elke dag mee naar de stad rijden 'om aan zijn conditie te werken'. Zijn ouders dachten vast dat hij dagelijks dertig kilometer aflegde, de sukkelaars, maar in werkelijkheid werden het er zeven naar de stad, een stuk of drie door de belangrijkste straten en zeven terug. Hij zou rondjes rijden tot hij haar ontmoette. Bij dit weer paradeerde ze met haar lekkere lijf in de winkelstraten, dat wist hij zeker. Wat hij haar zou zeggen als hij haar ontmoette, wist hij niet. Hij had enkele scenario's geoefend, maar misschien was het het beste om gewoon met 'hallo' te beginnen. Op 'hallo' kon heel wat moois volgen.

Dat het net vandaag zo warm moest zijn. Hij gooide zijn rechterbeen over de fiets en zette zich af op de trappers. Zijn spieren protesteerden. De fiets wiebelde. Na een tiental trappen kreeg hij eindelijk vaart. Zijn tong hing al tussen de spaken en het zoute zweet prikte in zijn ogen, maar het vooruitzicht op de ontmoeting veegde alle ellende weg. Voor een vrouw moet je lijden. Althans, als je niet het uiterlijk of de praatjes hebt om haar rond je vinger te winden. En Wes was zelfs bereid om te sterven voor Machteld.

*

De jongen zwalpte over het fietspad. Het was gemeen om daarom te giechelen. Saskia keek de onhandige fietser na terwijl de bus Blaashoek binnenreed. De molens wensten haar met zwaaiende armen welkom. Het deed deugd terug te zijn.

Bij het afstappen knikte ze vriendelijk goeiedag naar de chauffeur, die met een grote zakdoek het zweet van zijn voorhoofd veegde.

Ze wilde nog snel een gekruide boerenworst kopen, maar de slagerij was gesloten. Hoe dom dat ze dat alweer vergeten was. Het zou haar dag niet vergallen. Dorien had gezegd: 'Jij bent evenveel waard als iemand anders.'

Ze wou net de huissleutel in het slot draaien toen de voordeur van nummer 27 openvloog. Een vrouw struikelde van de dorpel om hinkelend haar evenwicht te hervinden. 'Hoi', riep ze naar Saskia. Ze kletterde op hoge hakken naar een auto, in de geur van een erg vrouwelijk parfum. Ze was mooi: een groene jurk tot net boven de knie spande rond haar aantrekkelijke lichaam.

Saskia zag haar met piepende banden wegrijden. Bienvenue zou blij zijn, dacht Saskia toen ze de voordeur achter zich sloot, dat zo'n knappe maatschappelijk werkster hem ter plaatse kwam bezoeken.

*

Jan Lietaer schoot. Het blikje spatte open in een schuim-kraag van bier. Hij grijnsde. Normaal gezien dronk hij eerst het blikje leeg, maar vandaag was het veel te warm om al zo vroeg aan de alcohol te gaan. Dus mikte hij op volle blikken, en het plezierde hem meer dan hij had verwacht. In plaats van de holle knal van uiteengereten aluminium kreeg hij nu een levensecht geluid: het blikje ving de kogel als een volgevreten rat en schokte achter-over. Bier liep eruit als bloed uit een afgeknalde kop.

Hij stak het veld over om een nieuw slachtoffer op het roestige tafeltje te plaatsen. Hij had het veld drie jaar ge-leden gekocht toen de eigenares, een vereenzaamde boe-rin, overleed. Het lag vlak naast zijn tuin en was de ideale locatie voor zijn schietoefeningen, de voorbereiding op het jachtseizoen.

Een dierenarts die jaagt? Dat is als een dokter die oude besjes wurgt! Hoe vaak had hij zulke grapjes niet gehoord? Als iemand er een opmerking over maakte, lachte hij vriendelijk mee. Jagen was zijn passie, en de dierenartsenpraktijk slechts een hobby, maar dat kon hij moeilijk eerlijk toegeven. Jagen had hij van jongs af geleerd, toen zijn vader hem meenam op de jachtpartij-tjes waar ook grootvader Lietaer zijn zoon mee naartoe troonde.

De jacht wond Jan op. Je wapen verzorgen, mikken, aanleggen, de spanning van wild in het open veld, de geur van bos en kruit, heerlijk was het. Hij leerde al snel dat hij niets kon veranderen aan de manier waarop de mens de dierenwereld had ingedeeld, gelijklopend aan zijn eigen wereld, in bevoorrechten, vogelvrijverklaarden en ter dood veroordeelden. Hij kon er beter van genieten.

Net als een kind dat met insecten experimenteert, voelde hij zowel spanning als afschuw. De daad was op-windend, het resultaat afschuwelijk. Tijdens zijn eerste jacht vond hij een haas waarvan de achterpoten waren weggeslagen, zieltogend onder een struik. De ogen bolden uit de kop, angstig en radeloos, de schuimende bek hapte in de lucht en de oren richtten zich naar het blaffen van de honden. Sindsdien flitste die doodsstrijd door Jans geest, elke keer dat hij aanlegde. Nog altijd hield hij er niet van slecht aangeschoten wild te vinden. Zijn collega-jagers brachten de dieren emotieloos de genadeslag toe. Hen verlossen uit hun lijden, dat was nobel, zeiden ze. Zolang je vergeet dat je ze zelf in dat lijden hebt gebracht, dacht Jan erbij.

Hij suste gemakkelijk zijn geweten door honden te ontwormen en kattenpoten te spalken. De dierenartsenpraktijk beschouwde hij als een logisch gevolg van zijn passie voor de jacht. Zijn boetedoening. Een beetje.

'Gaan we barbecuen vandaag?'

Hij draaide zich om. Aan het poortje naar de tuin stond Catherine als in een pose voor een modereportage. Ze poseerde echter niet, ze stond daar gewoon zoals altijd, zich niet bewust van de schoonheid die ze uitstraalde. Elk moment dat ze ergens tegen aanleunde of in een deuropening verscheen, was een verloren foto. Het naturel, de présence, ze moest in haar jeugd in een ketel van dat spul gevallen zijn. Het verbaasde hem nog altijd dat ze niet meer energie in haar modellencarrière gestoken had, maar ervoor koos om haar tijd te verprutsen met zijn boekhouding en een beetje vrijwilligerswerk.

'Barbecue? Lekker. Goed idee.'

'Ik ga vlees halen in de stad.'

'Ah, mooi. Breng ook kolen mee.'

'Ik ga me eerst even opfrissen.'

Ze verdween in de tuin. Jan keek naar het blik bier. Hij richtte de Sauer, mikte, en liet het wapen zakken zonder te schieten. Hij raapte zijn spullen bij elkaar en ging achter Catherine aan.

Ze hadden zijn oren dichtgesmeerd. De radicale oplossing was de enige juiste volgens de dokter. Ze gebruikten gesmolten schapenvet, omdat het zo goed isoleerde. Dat was een eigenschap die hij voordien niet kende, maar het klopte helemaal. Geen geluidje kwam erdoor. Eindelijk kreeg Herman stilte! Hoelang was dat geleden? Eeuwen leken het, eeuwen van geruis en gedruis en gezoem en gegons, die eindelijk achter de rug lagen, als een vermoeiende oorlog zonder winnaars.

De doofheid deerde hem niet. Claire zou haar bevelen wel op een andere manier weten te geven. En hij kon een lamp installeren waarmee hij zag of iemand de winkel binnenkwam. En bij het tv-kijken kon hij de ondertiteling inschakelen. Nee, zijn doofheid was een zegen. Hij voelde zich bevrijd, als een Normandisch dorpje dat puin ruimt na D-day.

Het zou niet vanzelfsprekend zijn om met een kop vol schapenvet in de winkel te staan. Er zou geroddeld worden, zeker de eerste weken. Maar de tijd was gekomen dat hij een besluit moest nemen. Wat de gevolgen ook mochten zijn. Over zijn uiterlijk had hij zich nooit zorgen gemaakt. Ook het dorp raakte er wel gewoon aan dat hun slager er een tikje vreemd uitzag. Misschien noemden ze hem achter zijn rug 'slager schapenvet'. Het maakte niets uit, nu zijn ellende eindelijk voorbij was. Claire kon wat meer in de slagerij staan, terwijl hij achter de schermen de beroemde Blaashoekpaté bereidde.

'Herman!'

Hij schrok. Hoorde hij zijn naam? Het moest een hallucinatie zijn. Het klonk veraf, alsof er werd geroepen door een metalen buis vol vodden. Een waangeluid, de auditieve tegenhanger van jeuk in een geamputeerde arm.

'Herman!'

Het klonk dichterbij nu, maar nog steeds dof. Zijn oren zouden hem nog een tijdje proberen te bedriegen, dat hoorde erbij, daarvoor had de dokter hem gewaarschuwd. Negeren, moest hij ze, die geluiden in zijn hoofd.

'Herman!' Nu ging zijn naam gepaard met getrek aan zijn schouder. Was het tijd om te ontwaken uit de verdoving? Was dit het moment waarop hij te weten zou komen of de operatie was geslaagd? Hij opende zijn rechteroog. Hij lag, tot zijn verbazing, niet op zijn rug in het ziekenhuisbed, maar op zijn buik. Nee, hij zat op een stoel, met zijn hoofd op een kussen.

'Wat is er hier gebeurd? Wat is dit in godsnaam?'

Het was de stem van Claire. De arts had het duidelijk verknoeid, niet alleen omdat Herman hoorde wat ze zei, maar vooral omdat ze nog kwader klonk dan die keer toen de tuinaannemer de verkeerde tegels had gelegd en alles weer moest uitbreken. Hij keek op en zijn verbazing was compleet. Hij was in de slagerij. Een operatie in een slagerij, dat kon toch niet? Claire was naar recht en rede razend, zoiets was onverantwoord!

Claires gezicht kwam gevaarlijk dicht voor het zijne hangen. Hij zag de zonnebankbruine teint, de mascara aan haar wimpers, de kleine blonde haartjes boven haar lip. Maar hij lette er niet op. Zijn volledige aandacht werd opgezogen door haar bolle ogen, alsof ze naar een drugsverslaafde zwerver keek die voor de etalage had overnacht.

Nu hield ze een theedoek voor zijn gezicht, en ze veegde een strook schapenvet van zijn voorhoofd.

'Laat dat', gilde hij. 'Dat is voor mijn oren!'

'Gek', riep ze terug. 'Je bent gek geworden!'

Hij voelde aan zijn voorhoofd en keek naar zijn vingers. Wat eraan kleefde, was geen schapenvet. Het was Brackes Blaashoekpaté. Hij keek nu naar het kussen. Het was geen kussen. Het was een pot rauwe Blaashoekpaté.

De paté droop over de rand, want in het midden zat een diepe kuil. In die kuil paste Hermans gezicht. Dat hoefde hij niet te proberen, dat begreep hij zo wel.

'Wat is er gebeurd', stamelde hij.

'Dat wil ik ook graag weten', tierde Claire, die met de theedoek naar hem zwaaide.

'Ik moet in ... Ik ben in ...'

'Je bent gek!' Claire zwiepte de theedoek in zijn gezicht. Ze trok de doek terug en spetters paté vlogen in boogjes van hem af.

'Ik ben in slaap gevallen', murmelde Herman. 'Ik ben ...'

'Een idioot, dat ben je! Kijk eens om je heen! Hoelang lig je hier al te snurken in je eigen paté?'

Herman keek om zich heen. Zijn handen trilden. Hij bibberde over zijn hele lijf.

'Hoe laat is het,' stamelde hij.

De theedoek sloeg opnieuw in op zijn hoofd. En nog eens. Naargelang er meer paté van zijn hoofd spatte, kwamen de slagen harder aan.

'Het is zes uur 's avonds!'

Het drong stilaan tot Herman door. Hij had tien uur geslapen, met zijn kop in een pot Blaashoekpaté. Hij bedacht wat hij moest doen, tussen Claires slagen door.

'Genoeg!' schreeuwde hij. Hij stond op, greep de theedoek en trok hem uit Claires handen.

'We gooien de paté weg!'

Claire sprong voor hem, als een kat waarvan hij op de staart had getrapt. Hij deinsde achteruit, bang dat ze haar klauwen in zijn gezicht ging slaan.

'Weggooien? Weggooien? Ben je nu helemaal!'

'Het is ...'

'We gooien niks weg, meneertje', siste ze. 'Jij gaat de paté afwerken. Morgen ligt die pot in de toonbank.' Ze wees in de richting van de slagerij. 'En morgen zullen de klanten hem kopen.'

'Hij is naar de haaien. Het is onverantwoord om ...'

'Het is jouw schuld! Jij bent onverantwoordelijk! En we kunnen ons dat vreemde gedrag niet langer permitteren, Herman! De laatste tijd loop je erbij als een levend lijk. Ik ben het beu. Ik ga het jou niet laten verpesten!'

'Hé, ma, niet zo luid, ik kon je buiten horen.'

Ze keken allebei om. In de deuropening stond Wesley na te hijgen, met een even rode kop als zijn vader.

'Je werkt die paté af, en morgen openen we de slagerij alsof er niks gebeurd is', siste Claire. Ze draaide zich om en ging de deur uit.

Herman keek naar zijn zoon.

'Wat zie jij eruit, pa.' Wesley grinnikte. Herman trok zijn schouders op.

Zijn zoon verdween uit beeld, maar kwam na enkele seconden terug.

'Ik heb een nieuwe fiets nodig, pa. Deze citybike is geen klote waard.'

Herman gooide de theedoek door het deurgat. Wesley dook behendig weg.

'Onnozelaar', tierde Herman. Hij trilde, niet van woede over het dutje in de paté, niet van razernij om het onbegrip van Claire, zijn spieren spanden zich in een pijnlijke kramp van ontgoocheling omdat hij nog steeds kon horen. Hij was helemaal niet bevrijd, de horror was niet voorbij. Vannacht zou het onophoudelijke gezoem hem weer uit zijn slaap houden. Hij kon toch niet op een matras in de slagerij gaan slapen? Claire zou hem laten interneren. En wat moest hij nu met die paté? Was er dan niemand die hem begreep?

Hij wandelde naar de hal en riep: 'Het is op een oude fiets dat je leert rijden!'

Hij zuchtte. Hij werd langzaamaan gek. Als hij het al niet was.

*

Catherine keek naar de envelop, toen naar de postbus en twijfelde. Het was al na vijf uur, hij werd pas morgenochtend gelicht. Zou ze ...? Nee, ze kon de brief niet zomaar bij hem in de bus steken, ze wilde daar niet te vaak gezien worden. Was het wel een goed idee de brief te posten?

Natuurlijk niet. Het was een bar slecht idee. Maar zo gaat het nu eenmaal als je verliefd bent. Dan doe je zotte dingen. Gewoonweg omdat je het spannend vindt. Omdat de zenuwen je maagwand wegvreten als je het niet doet.

Daarom sloot ze haar ogen en postte de brief. Achter het stuur van haar wagen giechelde ze. Toen dacht ze: wat heb ik gedaan? Ten slotte giechelde ze opnieuw.

*

Nadat ze een omelet met brood had gegeten, een degelijk alternatief voor de gekruide boerenworst, nam Saskia een blad papier en een blauwe viltstift. Ze beefde een beetje toen ze eraan begon, maar na tien minuten stond het erop: *Ik ben evenveel waard als iemand anders.* De spatie tussen *evenveel* en *waard* was te groot en het was niet zo sierlijk als ze bedoeld had. Toch hield ze het blad eventjes trots voor zich. Was het dwaas om de spreuk boven haar bed te hangen? Zouden de mensen dat belachelijk vinden? Maar wie zou er haar slaapkamer binnenkomen? Hoogstens Dorien als ze op bezoek kwam voor een controle.

Ze voelde een onbestemde warmte bij het idee iemand in haar slaapkamer binnen te laten. Het maakte al snel plaats voor een diepe schaamte.

'Zeppos!' Het hondje kwam aangetrippeld. 'Wat vind je ervan?'

Zeppos blafte.

'Vind je het mooi?'

Saskia stond op en wandelde naar de slaapkamer, met de hijgende Zeppos achter haar aan. Ze hurkte op het bed.

'Kijk jij of het mooi recht hangt, Zep?'

Nerveus nam ze twee punaises van het nachtkastje. Ze liet ze vallen toen de bulderlach van Bienvenue klonk. Zeppos sprong blaffend van het bed.

'Ssst, Zep!'

Ze hoorde Bienvenues gesprek erg helder door het open slaapkamerraam. Een zwoele hitte bleef op de dag drukken, het leek er niet naar dat de avond verkoeling zou brengen.

Bienvenue praatte luid, ze vermoedde dat hij naar het kanaal en de molens keek. Eén molen stond heel dichtbij, niet ver achter de muur van het binnenplaatsje. Hij was groot. Ze moest omhoogkijken om de wieken te zien. Hij was indrukwekkend. Hij overheerste het landschap. Hij beschermde haar. Ze glimlachte.

Saskia gleed op de vloer en speurde op handen en knieen naar de punaises. Eentje lag net iets te ver, waardoor ze haar schouder aan het bed schaafde. Dat Zeppos ondertussen haar hielen likte, hielp niet erg.

Met een bloedrode kop klom ze terug op bed.

'Zo', zei ze, en een minuut later hing de spreuk aan de muur. Niet helemaal recht, maar recht genoeg. Ik ben evenveel waard als iemand anders. Dat probeerde ze morgen nog eens te bewijzen.

*

Batman, die maakte kans bij Machteld. Gegarandeerd viel elke vrouw voor de strakke buikspieren in het zwarte pak, de diepe basstem, en vooral, de retecoole batmobiel. Wes keek even hoe de aftiteling langs het computerscherm gleed, richtte zijn blik naar de Batman-poster aan de muur en ging op bed liggen.

Batman was een held. En wat was hij? De onopvallende zoon van een slager. Aanleg voor overgewicht. Met een fiets uit gewapend beton. En pijn. Overal pijn. Pijn in zijn spieren van de fietstocht naar de stad. Zijn benen, rug en armen waren gekraakt, zijn hele lijf gebroken. Voor niets, want Machteld had zich niet laten zien. Wes sloeg met zijn vuist op de matras, en vouwde toen zijn handen over zijn buik. Die voelde plakkerig. Waarom was ze niet komen opdagen? Waarom kon hij niet eens gewoon geluk hebben?

De muziek van de aftiteling fadede uit. Nu hoorde hij het geroezemoes beter, de korte, krachtige zinnen waarmee zijn moeder inhakte op zijn vader. Pa, de schim. Pa met zijn kop vol paté. Pa die zo graag wilde dat hij de slagerij overnam. Dat kon hij op zijn dikke buik schrijven. De slagerij paste niet in Wes' toekomstplan. Hij moest meer Batman worden, en minder Bracke.

Hij draaide zich. Zijn spieren protesteerden. Zijn moeder kibbelde voort. Alle fouten die pa ooit had durven maken, passeerden nu een voor een de revue. Hij richtte zich op en het onderlaken, dat zich aan zijn vel had vastgezogen, liet hem los. Hij ging voor het raam staan. Het vijvertje achter aan de tuin zat vol groene smurrie. Hij vroeg zich af of er nog water in zat, met die droogte van de laatste dagen. Nog iets wat zijn moeder zijn vader kon verwijten.

De molens wat verderop blonken in het zonlicht. De wieken sloegen traag naar beneden, zelfs zij hadden last van de hitte. Hij luisterde. Hij hoorde geen gebrom. Geen gezoem, geen gegons. Enkel zijn moeder, en af en toe een seconde lang, zijn vader. Elke keer als een wiek naar beneden sloeg, klonk de stem van zijn moeder harder.

Nu.

Nu.

Nu.

Alsof de molens de maat sloegen van haar woede.

# 3

# Woensdag

Magda's ogen kropen als bruine spinnen over Claires lichaam. Claires jurk werd deels aan het oog onttrokken door de schort, maar ze wist wel zeker dat hij nieuw was. Hij stond haar, hij leidde de aandacht af van haar vette kont, al legde de schort een genadeloos accent op haar blubberbuik. Claire keek Magda glimlachend aan, gulzig naar centen.

'Wat mag het zijn, Magda?' De glimlach van een gifmengster.

Waarom moest ze uitgerekend vandaag in de slagerij staan? Waar was Herman? Zuchtend keek Magda naar de pot zomerpaté. Hij stond treiterig tussen de lever- en de Beauvoordse paté. Toen ze dat had gezien, een seconde nadat ze de slagerij binnenkwam, had haar neus gekruld van ontgoocheling.

Alles in de slagerij leek normaal, als de week voordien, toen Herman er nog niet als een alcoholist bij liep. Het slagerskoppel haalde een grap uit, ze testten haar, ze hadden haar één moment van glorie gegund, en haar daarna genadeloos terug op haar plaats gezet.

'Doe maar een snee van de zomerpaté. Zoals gewoonlijk.'

Claire sneed een grote plak van de paté.

'Helemaal vers', zei Claire. 'Je zult ervan smullen.'

Magda's mondhoeken trokken omhoog en ze ontblootte haar tanden.

Ze wilde Herman zien. Ze wilde weten hoe hij eraan toe was. Stond Claire hier misschien omdat hij in bed lag met een kater? Maar wie had dan de worsten gedraaid? En de paté gemaakt? Tot vervelens toe snoefde Herman dat alleen hij het recept kende.

'Anders nog iets?'

'Twee hamburgers', beet Magda.

Claire wandelde naar de andere kant van de toonbank. De jurk was echt een mirakel voor haar kont. Als ze een jeansbroek droeg, leken het nijlpaardbillen. Magda grinnikte. Toen verscheen Wesley voor het raam, met de fiets waarmee ze hem gisteren zag sukkelen. Claire zwaaide naar hem. Hij deed alsof hij haar niet zag.

'Wesley gaat op de sportieve toer', zei Magda.

Claire lachte. 'Hij heeft het in zijn hoofd gehaald om elke dag dertig kilometer te fietsen. Ik vraag me af hoe hij dat gaat volhouden.' Ze legde de hamburgers op de weegschaal. 'Er zal een meisje in het spel zijn, zeker?' Ze knipoogde. De koude rillingen liepen over Magda's rug, alsof Claire net haar tong in Magda's mond had geduwd.

\*

Wes had beslist om de fietstocht net voor het middageten aan te vatten, dan hoefde hij zijn ouders niet onder ogen te komen. Hij had geen zin in vijandige blikken omdat hij geen charcuterie meer op zijn boterhammen legde. Hij had ook geen zin om een clichématig verhaaltje op te dissen over zijn plotse dierenliefde, of een emotionele uiteenzetting over de ecologische voetafdruk van de vleesconsumptie. Dat leverde hem enkel hoongelach van zijn moeder en een stilzwijgend hoofdschudden van zijn vader op. Zo goed kende hij hen wel. Bovendien had zijn vegetarisme slechts een pragmatische oorzaak, daar hoefde hij niet flauw over te doen: vlees eten was een van de twee hinderpalen die een relatie met Machteld nog in de weg stonden. Als slagerszoon maakte hij bij de vegetarische godin slechts kans als hij de walgelijke dierenmishandeling van Slagerij Herman afkeurde. En hoe kon hij dat duidelijker tonen dan door zelf vlees van het menu te bannen? Dat Wes Machtelds levenswijze verkoos boven die van zijn eigen familie, zou haar eens en voor altijd overtuigen van zijn liefde voor haar. Meisjes hielden van jongens die bruggen verbrandden en familiebanden doorsneden in naam van de liefde.

De tweede hinderpaal had hij ondertussen ook mooi weggewerkt: de afstand tussen hem en zijn beminde. Hij grinnikte bij de gedachte dat zijn ouders zo naïef in het verhaaltje over de fietstochtjes waren gestonken. Alleen de lompe fiets stoorde hem mateloos. Hij was van plan vandaag bij een fietsenmaker langs te gaan, misschien kon hij dit vooroorlogse smeedwerk ruilen voor een sportiever exemplaar, zodat hij er niet uitzag als een sufgerukte kreeft als hij eindelijk Machteld spotte in de stad.

Hij voelde hoe zijn moeder door het raam naar hem keek. Hij negeerde haar. Hij sloeg zijn linkerbeen over de fiets en trok een grimas van de pijn die door de gemartelde spieren en pezen zinderde. Zijn ongetrainde lijf had de fietstocht van gisteren nog altijd niet verteerd. Hij hoopte dat de tocht de pijn waard zou zijn. Want hij wilde lijden voor de vrouw van zijn leven, maar dan moest het wel beloond worden. Hij reed die kilometers naar de stad niet om zoals gisteren bejaarden koffie te zien drinken op een terrasje.

*

Magazijnbediende. Ploegleider. Arbeider nachtploeg. Aankoper. Onderhoudstechnicus.

Niets waarvoor Saskia geschikt was. Ze loerde door de

ruit. Binnen hadden ze meer vacatures, maar ze durfde die stap nog niet te zetten. Eerst ging ze alle kantoren af om te zien wat er in de vitrines hing. Dat waren vooral mannelijke beroepen: elektricien, frezer, lijnverantwoordelijke. Saskia zocht naar: directiesecretaresse (het liefst), administratief bediende (graag), verkoopster (eventueel) en arbeidster (als er echt niets anders was).

Dorien had haar aangespoord de moed niet te laten zakken. Glimlachend had ze de afwijzingsbrief van Severine Baes aan haar dossier toegevoegd, na hem knikkend gelezen te hebben.

Het was de normale gang van zaken, had Dorien uitgelegd. Ze hoefde zich er niet slecht of minderwaardig door te voelen. Bedrijven ontvingen honderden sollicitaties voor één baan. De kans dat ze je eruit pikten was kleiner dan om de straat op te wandelen en omvergereden te worden door een vuilniswagen. Daar had Saskia om moeten lachen. Ze betrapte zich er sindsdien op dat ze vaker op vuilniswagens lette als ze een zebrapad overstak.

Ze mocht niet te kieskeurig zijn, had Dorien haar ingepeperd. Hoe hoger haar eisen, hoe lager haar kansen. Maar Dorien was niet opgegroeid op een boerderij waar er bijna vierentwintig uur per dag werd gewerkt. Saskia wilde iets nieuws, ze wilde iets hoogstaanders dan het pure fysieke werk dat haar op de vlucht had doen slaan. Ze zag zich het liefst aan een bureau, met een computer en een printer, en een lijstje met een foto van Zep, als de baas dat toestond. Natuurlijk zou die dat toestaan, ze ging werken voor een sympathieke baas, een baas die goedemorgen zei als hij binnenkwam en instemmend gromde terwijl hij haar verslagen las. Iemand die een bloemetje voor haar meebracht op haar verjaardag. Dat was werkelijk een droom, zo'n baas!

In deze vitrine hing er niets wat haar aansprak. De volgende misschien. Rechts in haar blikveld zag ze een vacature waarop ze vaag het woord 'secretaresse' herkende, en ze hoopte stilletjes dat de hele vitrine vol vacatures naar haar smaak zou hangen. Toen remde er bruusk een auto.

Zo remde hij als hij na een bezoek aan het slachthuis het erf opreed.

Zo remde hij als hij geen enkele koe had verkocht.

Ze verstarde. Haar spieren spanden zich in een kramp. Met moeite draaide ze haar hoofd. Ja, dat was hem. De vuile bumper, de nauwelijks leesbare nummerplaat, de met opgedroogde modder bevuilde carrosserie.

Ze stond op het erf. In de verte krijsten varkens en de hond blafte hard. De zware geur van mest bedierf de lucht. Ze kon moeilijk ademen. Ze wist wat er zou komen.

*

Wes Bracke was aan het sterven. Hij kneep de remmen van de fiets dicht. Zodra hij een voet op de grond zette, verminderde de kloppende spanning in zijn kokend hete schedel. Veel deugd deed dat niet, want een pijnlijke tinteling trok door zijn benen. De lange broek – hij durfde geen korte te dragen uit schaamte voor zijn bleke huid – plakte aan zijn vel. Het voelde vies, alsof hij in zijn broek had geplast. Zweet vloeide jeukerig in zijn bilspleet. Hij hijgde met open mond en de warme lucht schuurde langs zijn uitgedroogde keel. Met zijn T-shirt veegde hij zijn voorhoofd af. Wat maakte het nog uit?

Hij had net een uur lusteloos door de Nieuwstraat gepeddeld. Er was nauwelijks iemand op straat. Dat had hij kunnen verwachten, zo net op de middag, tijdens het warmste uur van de dag.

Maar Machteld was iemand die gauw van tafel zou gaan om de middagzon op te zoeken. Want wat aten vegetariërs eigenlijk? Wortels, sla en okkernoten. Lang kon je daar niet op zitten kauwen. Het sprak hem niet aan dat hij vanaf nu ook zou leven als een konijn, maar voor de liefde moest hij afzien. En het was gezond, zeiden ze toch. Je werd er slank van.

Zijn keel brandde van de dorst en hij had een razende honger. Hij had zin in een grote cola met een hamburger. Of een halve liter bier met een gerookte worst. Of kip met curry. Of ... zijn darmen kreunden bij de gedachte aan voedsel. Hij had toch beter stiekem een paar plakken ham naar binnen kunnen werken. Wat zou Machteld van hem denken als hij haar aansprak terwijl zijn darmen gorgelden als een slecht afgestelde afvoerpijp?

Nu moest hij vooral eerst even op adem komen. Zo wilde hij Machteld liever niet ontmoeten.

Een eindje verderop glansde het logo van de fietsenmaker, een abstracte blauwe lijntekening die meer op een bril dan op een fiets leek. Hij twijfelde. Hij wilde dolgraag de fiets ruilen, maar hij vreesde dat hij daarmee een belangrijke grens zou overschrijden. Hij wist dat hij de leeftijd had om uit te zoeken hoe ver hij kon gaan, om normen ter discussie te stellen en daarmee zijn ouders de gordijnen in te jagen. Op dat vlak boekte hij succes met zijn belabberde schoolresultaten en zijn plotse vegetarisme, al hoopte hij stiekem om Machteld opnieuw tot vlees te bekeren als ze eenmaal een koppel waren. Dat het hem lukte om zijn grens zo te verleggen, verbaasde hem niet. Zijn ouders rekenden erop dat hun puber lastig en onberekenbaar was. Hij kon dat verwachtingspatroon dus evengoed ten volle benutten. Zijn leeftijd was geen *license to kill*, maar minstens een *license to act out of control*.

Gisteren hadden zijn ouders tot elf uur 's avonds ruziegemaakt. Zijn moeder had daarna een fles witte wijn gekraakt en het op een zuipen gezet. Hij, opgesloten in zijn kamer, een zelfgekozen gevangenschap trouwens, had beseft dat deze ruzie anders was dan de andere. De sfeer was harder; alle zuurstof was uit de lucht onttrokken om het onweer te voeden dat al enige tijd tussen zijn ouders hing. Wesley besefte dat de verzuurde atmosfeer zijn grens opnieuw verkleind had. Hij wilde niet de bliksem- afleider worden voor het vuurwerk tussen zijn ouders. Hij kon daarom beter de fiets nog niet van de hand doen. Bovendien hoorde hij nog altijd zijn vader hem achterna- roepen. Dat het *op een oude fiets is dat je leert rijden.*

Hij veegde nogmaals zijn voorhoofd af aan het T-shirt, zette zijn voet op de trapper en kreunde toen zijn kont weer op het zadel plofte. Hij passeerde de fietsenwinkel en reed het voetpad niet op, maar zwenkte even naar links, alsof hij wat afstand wilde nemen, toen een auto rakelings langs hem scheerde.

Hij sloeg bijna tegen de grond. De oude Mercedes, waarvan de groene carrosserie verloren ging onder op- gedroogde moddervlekken, remde bruusk en schurkte tegen het voetpad aan. De hufter die hem bestuurde, een geblokte oude vent, sprong uit de auto en rende vloekend op een meisje af dat bij de vitrine van een uitzendbureau de vacatures las. Wes bekeek het tafereel met verbaasde afstandelijkheid. De man greep het meisje bij de keel, sloeg haar tegen de vitrine en slingerde haar het portiek in.

Terwijl de man het meisje in een worsteling het voet- pad over trok, besefte Wes dat hij geen toeschouwer kon blijven. Hij kon als een lafaard het strijdtoneel verlaten. Hij kon het tafereel filmen met zijn telefoon en het film- pje op YouTube gooien.

Maar hij kon ook een held zijn. In de seconde voor hij zijn voet op de trapper zette, bedacht hij dat hij een held zou worden. Hij manoeuvreerde de fiets het voetpad op en stelde tevreden vast dat hij snel vaart maakte. De spierpijn was verdwenen.

'Jij verraadster, jij stomme geit!'

Saskia hoorde het portier dichtslaan, het teken dat ze het op een rennen moest zetten. Haar benen bewogen niet, ze waren met staaldraden in de straatstenen geklonken. Ze spande zich, niet om zich te verdedigen, maar om de slagen op te vangen. Zijn geur bezorgde haar een eerste klap.

'Daar ben je dan, vuile stadsslet!' De hand sloeg als een kolenschop in haar hals en slingerde haar tegen de vitrine. Ze besefte dat het een blunder was toen ze haar armen in een reflex voor haar gezicht hief. Ze werden als handvaten vastgegrepen, even later smakte ze tegen de brievenbus in het portiek. Ze krulde in elkaar van de pijn, maar ze gaf geen kik. Ze hoopte vooral dat de brievenbus niet beschadigd was. Ze had geen tijd om erover te piekeren, ze werd opgetild en het voetpad op gesleurd.

'Je moest je schamen, ondankbaar serpent!'

'Het spijt me, opa', wilde ze zeggen. Uit haar mond kwam niets dan gefluister, gepiep van een verstikte muis. Ze knalde tegen de auto, brokken modder sprongen eraf.

'Ik wilde alleen een ander leven', probeerde ze, maar het enige geluid dat ze voortbracht was astmatisch gehijg. Ze werd opgetild aan haar paardenstaart, tegen zijn lijf aan. Ze rook het ondergoed dat ze zo vaak gewassen had, niet het wasmiddel, maar de walgelijke geur voor ze aan het soppen ging.

'Begrijp jij wel wat je mij en oma aandoet? Wij die zo goed voor je gezorgd hebben! Je bent helemaal je moeder! He-le-maal je moe-der!' Bij elke lettergreep kreeg ze een klap.

Het was een kwestie van meters en een kwestie van mikken. Het was vooral een kwestie van handelen zonder nadenken. Als hij te veel nadacht zou hij twijfelen of vertragen. Daarom liet Wes zich leiden door zijn instinct. Batman zou het ook zo doen, schoot het door zijn hoofd. De hufter hield het meisje aan haar paardenstaart tegen zich aan. Ze zat ineengekrompen, waardoor zijn linkerflank onbeschermd bleef. Hij koos één punt, de heup, en focuste. Nog twee trappen. Hij hield de adem in, voelde zijn spieren zich spannen.

In al zijn geilheid om dat arme kind te slaan zag de hufter hem niet. Wes concentreerde zich op de versleten ribfluwelen broek. Hoe goed hij zich ook op de klap had voorbereid, de kracht ervan kwam toch als een verrassing. De heup van de ouwe sloeg weg, samen met het stuur van de fiets. De botsing leek het vlees van Wes' botten te schudden. Hij vloog over het stuur op de borst van de man, die brullend achteroverviel. De ribben van de ouwe braken zijn val. Wes maakte een koprol en belandde in het portiek van het uitzendbureau.

Toen hij opkeek, zag hij de oude man hulpeloos worstelen met de fiets, als een soldaat die onder het lijk van zijn maat vandaan probeert te kruipen. Hij kreunde en rochelde. Verderop, tegen het portier van de auto, zat het meisje. Ze huilde.

Wes wuifde naar haar. Ga weg, wilde hij haar duidelijk maken. Hop, zet het op een lopen. Maar ze bleef zitten. 'Loop weg', schreeuwde Wes met overslaande stem, als een hysterisch wijf.

Het meisje krabbelde overeind. Ze griste een stoffen zak van de grond en begon te rennen. Eindelijk.

Wes leunde achterover. Het voorwiel van de fiets keek de lucht in, halfweg geknakt. De man eronder bewoog niet meer. Wes staarde het levenloze lichaam aan en kwam tot het besef dat hij zonet een mens had vermoord.

Saskia had lang genoeg gelopen. Ze leunde tegen een gevel, veegde met haar onderarm een strook snot weg en
rammelde in de zelfgemaakte tas. Haar eenvoudige No-
kia kletterde op de straatstenen. Pas toen ze zich bukte
om hem op te rapen, zag ze hoe de mouw van haar T-
shirt aan rafels hing. Ze grabbelde naar het toestel en het
zuchtje wind dat langs haar rug streek, deed haar vermoeden dat het hele kledingstuk aan vodden gescheurd
was. Ze voelde een nieuwe tranenvloed opwellen. Ze ver-
mande zich, al had ze zich graag overgegeven aan de verdoving van ellendig gehuil.

Twee keer toetste ze het telefoonnummer verkeerd in,
bij de derde poging hoorde ze de wachttoon. Het duurde
lang voor Dorien opnam.

'Ja, hallo?'

Er kwam geen geluid, Saskia kon niets zeggen.

'Hallo? Is daar iemand?'

'Hallo, ik ...' Saskia probeerde haar stem onder controle te krijgen. Ze slikte, ze ademde diep in, en toen ra-
telde ze aan één stuk door. De woorden kwamen zoals de
tranen waren gekomen: overvloedig, overrompelend en
zonder logica.

'Sorry, met wie spreek ik?' vroeg de stem aan de andere
kant, toen Saskia's woordenvloed stokte omdat ze adem
moest halen.

'Het is Saskia, Dorien, Saskia Maes.'

'Belt u voor Dorien Chielens?'

Saskia schrok.

'Ja, ik dacht ...'

'Dorien is met vakantie, mevrouw Maes. Binnen drie
weken is ze terug. Heeft ze u dat niet verteld?'

Nee, dat had ze haar niet verteld.

'Ah, Dorien is ook zo'n warhoofd', lachte de mevrouw

74

aan de lijn, en toen ernstig, omdat ze zich Saskia's woordenvloed herinnerde: 'Waarmee kan ik u helpen?'

Saskia had geen zin om het hele verhaal aan een wild-
vreemde te vertellen. De gezamenlijke bron van woorden
en tranen was opgedroogd. Ze voelde zich moe, doodmoe.

'Het is niet erg', zei ze. 'Ik bel als ze terug is. Binnen
drie weken, zei u?'

'Als we in de tussentijd kunnen helpen, dan vraagt u
het maar. We staan altijd voor u klaar.'

'Dank u. Werkelijk bedankt.'

Saskia wachtte tot ze hoorde dat de verbinding verbro-
ken werd. Ze keek om zich heen. Ze herkende de huizen
niet, en de gebouwen kwamen haar vreemd voor, alsof ze
een buitenaards wezen was. Ze liep verloren in een wereld die ze niet begreep, en die haar ook niet leek te begrijpen. Ze wilde zo snel mogelijk naar Blaashoek, naar
huis, naar Zeppos. Alleen daar was ze veilig. Ze zou er
blijven, drie weken lang, tot Dorien terug was om haar
te helpen.

*

Ivan Camerlynck concentreerde zich op het zinksul-
faat en het citroenzuur dat hij oploste in het gekookte
gedistilleerde water. Hij genoot. Straks kwam mevrouw
Deknudt om haar zinksiroop, en hij wilde geen tijd verliezen. Het kwam zo onprofessioneel over als hij haar
tien minuten liet wachten. Dus nam hij de suikerstroop,
de vanille-essence en de nipagine.

Waf waf waf!

Ivan knarsetandde. Die rothond. Hij voegde de drie
producten toe aan de oplossing.

Waf waf!

Waar was dat stomme wicht eigenlijk? Lag ze in haar

75

bed te bekomen van een nachtje wérk? Snurkte ze zo luid dat ze haar eigen mormel niet hoorde? Of was ze te lui om dat beest manieren te leren?

Dit was het belangrijkste moment. Als hij knoeide, verpestte hij het proces. Hij bracht het mengsel met gezuiverd water op gewicht.

Waf waf waf!

Nu was het genoeg! Hij stormde het keukentje achter aan de apotheek door en rukte de glazen schuifdeur naar het binnenplaatsje open. Hitte woei in zijn gezicht. Hij gooide een stoel tegen de muur. Het blaffen zwol aan, een schel, hysterisch geluid dat Ivans woede enkel versterkte. Het beest rook hem, het gromde. Ivan klom zo stil mogelijk op de stoel. Hij hield zich laag tegen de muur, in de hoop dat de hond hem zou vergeten. Poten trippelden langs de muur, de hijgerige ademhaling stokte af en toe door slikgeluiden. Ivan staarde achter zich naar de geopende deur. Zijn ogen gleden langs het schamele interieur van het keukentje naar het zwarte gat waarachter de apotheek lag. Hij moest de zinksiroop afmaken. Wat stond hij hier verdorie tegen een muur geleund naar een hond te luisteren?

Waf waf waf! Waf waf waf!

Traag trok Ivan zich omhoog langs de muur. Hij spiedde er voorzichtig over, zonder adem te halen, om de aandacht van het dier niet te trekken.

Het beestje zag hem niet. Het keek gefixeerd omhoog, en blafte alsof er een onzichtbaar onheil boven hem hing. Wat was er aan de hand met dat beest? Ivan volgde de richting waarin de hondenkop staarde. En toen zag hij welk monster deze kleine blaffer zo van streek maakte.

De molen rees hoog boven hen. Elke wiek die naar beneden sloeg, werd getrakteerd op een schallende blaf. Ziedaar het voordeel van groene energie, dacht Ivan. Ziedaar het voordeel dat de moderniteit naar Blaashoek had gebracht. Daar dachten al die snuggere ingenieurs niet aan. Zij graaiden de duizenden euro's van hun veel te dure studiewerk mee, en lieten de bevolking met de gebakken peren zitten. Wat kon het hun schelen dat hij horendol werd van een angstige hond? Wat kon het hun schelen dat die schijtmolens zijn leven verpestten? Niets! Ze hadden er geen flauw benul van, de slimmeriken, en als ze ervan afwisten, deden ze alsof hun neus bloedde. Meneer Ivan moest tevreden zijn dat zijn huisje nu werd voorzien van groene stroom. Wel, meneer Ivan was niet tevreden!

Waf waf waf!

'Stil!'

Hij riep het niet, hij siste het. De hond verloor zijn interesse in de molen. Hij kwam grommend dichterbij en blafte uitdagend.

'Hou je klep!'

De hond krabbelde een meter achteruit en sprong naar voren.

Waf waf waf waf waf waf waf!

'Hou je mond, stronthond!'

Ivan kneep van woede in de muur, alsof het de keel van de hond was. Maar het rotbeest zweeg niet.

'Stil! Ksssst!'

Waf waf waf!

'Stil zijn, aap!' Het schuim sprong van zijn lippen. Het beest werd vrolijker met de minuut.

Kon hij de hond de hersens inslaan? Nee, niets te vinden. Hij zuchtte, richtte zich weer op en tuurde door het benedenraam van het huisje. Er was geen beweging, de moderne keuken – echt veel duurder dan de zijne – was netjes maar karig, doods zelfs. Van het andere raam op de benedenverdieping waren de gordijnen gesloten. Dat onnozele wicht lag in een erg diepe slaap, of ze was niet thuis. Zijn blik gleed langs de gevel omhoog.

Achter het raam op de eerste verdieping stond een naakte vrouw. Even zag hij haar prachtige lijf – ze had een smalle taille en stevige borsten met grote tepelhoven – voor ze wegdook.

De hond was hij vergeten. Met trillende benen klom Ivan van de stoel. Hij keek nog eens naar het raam, maar dat was leeg, alsof de naakte vrouw slechts een hallucinatie was geweest. Hij had haar gezicht niet gezien. Maar wat een lichaam! Wat een verdomd lekker lijf!

Zijn hart bonsde in zijn keel. Hij staarde nog eens naar het raam. Ze liet zich niet meer zien. Was ze even erg geschrokken als hij? Zoiets was hem nog nooit overkomen. Toen verkilde hij. Was de persoon achter het raam het wicht van de benedenverdieping, de eigenares van de hond? Onmogelijk. Het kon toch niet dat onder dat rafelige T-shirt en die goedkope jeansbroek zo'n prachtig lichaam schuilging? De wonderen waren de wereld nog niet uit, maar dit wonder leek hem te mooi.

Hij had een vrouw gezien op de eerste verdieping. Bij de neger. Ivan masseerde zijn kin en streek langs zijn neus, alsof hij de samenstelling van een geneesmiddel overpeinsde. Wie was het? Ivan wandelde naar de apotheek en leunde op de toonbank, op dezelfde manier als wanneer hij iemand uitlegde hoeveel keer daags hij zijn pilletje moest nemen. Hij keek naar het rekje met zonneproducten, dacht aan het medicijn voor mevrouw Deknudt, en zag toen in gedachten weer de naakte vrouw achter het raam. Ze had het lichaam van een model. Ze was naakt omdat ze had geneukt.

Hoe deed die neger dat? Hoe sloeg hij zo'n mooie vrouw aan de haak? Hij sprak amper Nederlands, had officieel geen rooie cent, en zijn kansen op de arbeidsmarkt waren zo groot als die van een eenarmige zestiger. Was het een drugsgebruikster die de neger betaalde met haar lichaam?

Ivan schudde die gedachte van zich af. Hoe aannemelijk het ook klonk, het lichaam had er stijlvol uitgezien, ze stond achter het raam alsof ze poseerde voor een fotoshoot. Niet voor het eerste het beste pornoblaadje, maar voor de *Playboy* of een zwart-witkalender op glanzend papier: smaakvol naakt, zoals ze dat noemden. Een heroïnehoer had daar niet de klasse voor.

Ivan zuchtte. Hij wilde haar nog eens zien. Hij wilde haar voor zijn eigen raam zien staan. Maar hij besefte dat zijn droom een utopie was. Als hardwerkende, brave apotheker maakte hij geen schijn van kans bij dit type vrouw, dat zich door een jammerlijke speling der natuur steevast aangetrokken voelde tot brutale en hardvochtige mannen, mannen die niet deugden en hen in het verdriet, de drank en de drugs stortten.

Ivan ijsbeerde naar het keukentje. Hij moest zich helemaal over de gootsteen buigen om door het keukenraam naar dat andere raam te kunnen kijken. Het enige wat hij van hieruit zag, was de weerkaatsing van de molen in het glas. Hij vloekte. Hij opende de schuifdeur, negeerde het opgewonden geblaf, staarde naar boven, maar ook nu zag hij niets behalve een lichte weerkaatsing en een stuk plafond. Het was zinloos, ze was verdwenen.

Als ze het huis verliet, bedacht hij met een schok, moest ze de apotheek passeren. Hij beende opnieuw de keuken en de apotheek door, en installeerde zich achter het rek met zonneproducten. Niets en niemand te zien. Het asfalt zinderde als gesmolten teer waarin je wegzonk zodra je er een voet op zette. De hete brij zou zich in kleverige draden rond je enkels wikkelen, de dag nadien kon je in de kranten lezen hoe de brandweer je had bevrijd en dat de gemeente een miljoenenschadevergoeding van je claimde voor het beschadigen van het publieke domein.

De vrouw was nergens te bespeuren. Ze zonk niet tot haar enkels in het pekachtige asfalt, ze paradeerde niet naakt voorbij de etalage. Ze huppelde zelfs niet elegant aan de overkant. Ivan zuchtte en besefte plots dat de zink-siroop al een tijdje op hem wachtte. Mevrouw Deknudt kon hier elk moment zijn, en de zinksiroop moest even goed worden als de zalf voor boerin Pouseele.

*

'Hij heeft me gezien', gilde Catherine. Ze sprong achter-uit, stootte tegen de bedrand en viel achterover op de la-kens. Ze bleef even liggen, zijn geur en haar geur – hun geur – opsnuivend, wipte toen over het bed heen en trip-pelde naar de badkamer.

'Hij heeft me gezien, *il m'a vu*', zei ze tegen het douche-gordijn, waarachter Bienvenues silhouet bewoog.

'Wie heeft je gezien?' vroeg hij luid en zangerig, met die donkere stem die haar benen in pudding veranderde.

'Camerlynck', antwoordde ze. 'Hij zag me voor het raam staan.'

'Camerlynck, *c'est qui*?'

'De apotheker, de buurman, hij zag me helemaal naakt staan, *toute nue*.' Ze schoof het gordijn opzij, keek naar zijn prachtige kont en toen naar zijn robuuste kop, die haar over zijn schouder probeerde aan te kijken. Hij draaide zich om.

'*Il m'a vu toute nue*', zei ze nog eens en ze stak haar bor-sten naar voren.

Bienvenue lachte. Hij draaide de kraan dicht. Ze reikte hem een handdoek aan. Ze stapte opzij om hem door te laten. Hij droogde zich haastig af, en ging voor het raam staan, naakt.

'Waar is hij?'

Ze keek over zijn schouder.

'Hij is er niet meer. Hij keek over het muurtje, hij stond te schreeuwen naar de hond.'

Bienvenuc lachte opnieuw.

'Waarom schreeuwen naar de hond? Begrijpt de hond Nederlands?'

'Beter dan jij.'

Bienvenue greep haar bij haar middel en gooide haar op bed. Behendig sprong hij naast haar, voor ze het wist lagen ze verstrengeld.

'Nee, Bienvenue, ik heb geen tijd meer.' Ze beklaagde zich dat ze toch gekomen was. Gisteren had ze de brief verstuurd – ze had hem er niet over verteld, het was een verrassing. Maar waarom kon ze zichzelf niet bedwingen? Waarom moest ze vandaag opnieuw haar auto een eind verderop parkeren en als een indringer het huis binnensluipen? Waarom lag ze alweer in zijn bed? Ze duwde hem van haar af.

'Sorry, Bienvenue, ik moet weg. En we hebben nog maar pas gedoucht.'

'*Il nous reste encore du temps.*'

Ze zuchtte. Ze staarde door het raam, naar de molen. Zijn regelmatige wiekslagen hadden iets geruststellends. Bienvenue raakte haar borsten aan. Ze draaide zich om en legde haar vinger op zijn mond.

'*Silence*, Bienvenue.' Ze glimlachte en streek langs zijn gezicht. Hij gleed met zijn hand over haar buik, ze wist waarnaar die hand op weg was, dus sloeg ze hem van haar af. Ze sprong het bed uit, trok snel haar slipje aan en griste haar bh en jurk van de grond.

'Ah, Catherine ...'

Als ze zich niet snel aankleedde, zou ze zich door hem laten verleiden. Maar Catherine kon niet blijven. De apotheker spookte door haar hoofd. Ze trippelde naar de woonkamer en stapte in haar schoenen. Hij volgde haar en pakte haar vast. Ze legde haar hoofd tegen zijn borst.

'Ik moet gaan.' Ze keek naar hem op. 'Morgen krijg je een verrassing van me.'

Zijn gezicht klaarde op, het deed haar glimlachen.

Ze gaf hem een kus, opende de deur, wuifde nog eens en weg was ze.

\*

Herman Bracke liet de vertegenwoordiger van de papier-leverancier uit – zijn drammerige gezeur over de nieuwste ontwikkelingen op het gebied van verpakkingspapier had hem een barstende hoofdpijn bezorgd – toen een patrouillewagen stopte, net voor de slagerij. Door het etalageraam zag hij Claire bezorgd naar het opvallende voertuig kijken. Ze schepte krabsalade in een potje. Haar beweging bevroor toen de twee politieagenten een onhandige tiener uit de wagen hielpen. Hun zoon. Hij boog het hoofd als een betrapte zedendelinquent. Tot overmaat van ramp keken alle klanten met Claire mee.

De hoofdpijn klopte harder in Hermans hersenen. Hij wilde snel afscheid nemen van de vertegenwoordiger, en leidde hem in de richting van zijn auto, maar de man draaide zich om en bleef staan, wachtend tot de belofte van spektakel werd ingelost.

'Nogmaals erg bedankt voor uw vakkundige uitleg', probeerde Herman terwijl de politieagenten met Wesley de slagerij binnengingen. 'Ik laat nog iets van me horen.'

'Hm, hm', knikte de man. Met een scheef lachje richtte hij zich tot Herman. 'Bent u bestolen?'

Herman begreep niet wat hij bedoelde. Hij wilde dat hij wegging, samen met de koppijn. De man wees naar de slagerij, waar de klanten naar buiten kwamen, druk in gesprek met elkaar. 'Of u bestolen bent? De politie heeft de dief te pakken, lijkt me.' Hij zette zijn zonnebril op en grinnikte. Wellicht grinnikte hij op dezelfde manier als hij met een ondertekend contract achter het stuur van zijn bedrijfswagen ging zitten.

'Ja, ik zal snel gaan kijken.' Hij schudde de vertegenwoordiger de hand. 'Nogmaals dank.' Hij haastte zich naar de slagerij, die nu helemaal leeg was, een gruwelijke gewaarwording op een dag die naar barbecue rook – de worsten, merguez, ribbetjes, brochetten en kippenbouten lagen in de toonbank gestapeld. Claire had de agenten al naar de woonkamer geleid. Hij sloot de voordeur en liet het gordijn naar beneden. Tot zijn ergernis bleef de handelsreiziger op de straat dralen, alsof er plots een buitenkansje uit de lucht zou komen vallen.

De pot Blaashoekpaté was voor drievierde leeg. Heel even verscheen een glimlach om Hermans lippen. Claire had weer eens gelijk gehad. Toen hij de deur naar de woonkamer opende, wist hij dat dit vandaag zijn enige vrolijke moment zou zijn, en dat de hoofdpijn enkel nog kon verergeren. De agenten stonden op van de bank toen hij binnenkwam. Zijn zoon zat met gebogen hoofd in een fauteuil en Claire snotterde aan de andere kant van de salontafel.

'Meneer Bracke, goedemiddag', zei de oudste van de twee agenten, een vriendelijk ogende man. 'Agenten Hauspie en Huyghe.' Hij wees naar zichzelf en de tweede agent, een knappe, jonge vrouw. Haar open, schattige gezicht wekte bij hem de hoop dat het allemaal zo erg niet kon zijn.

'Wat is er aan de hand?' vroeg hij. Hij keek naar Wesley, die koppig naar zijn voeten bleef staren. Claire hief haar hoofd en liet het toen opnieuw in haar zakdoek vallen.

'Uw zoon is deze middag betrokken geraakt bij een incident', vertelde agent Hauspie. Hij pauzeerde even, alsof iemand behoefte had aan een opgedreven spanning.

'Een incident?'

'Uw zoon heeft een man aangereden in de stad.'

'Een man aangereden? Die jongen heeft niet eens een

rijbewijs!' Herman lachte. De agenten hadden de verkeerde opgepakt.

'Met de fiets, meneer Bracke.'

Herman zweeg. Dat zou hij nog een poos doen. Wesley die iemand aanrijdt met de fiets? Hoe haalde hij dat in zijn hoofd? Het was dus toch waar dat je hersenen afsterven als je geen vlees eet. Maar zo snel al, dat had hij niet gedacht.

'Het fijne weten we er nog niet van, de getuigenissen van uw zoon en de aangereden man lopen uiteen. Volgens uw zoon viel de man een meisje lastig. Hij wilde haar helpen en vond er niets beter op dan met de fiets op de man in te rijden.'

Weer pauzeerde hij. Wesley keek eventjes op om vervolgens het patroon van het tapijt te bestuderen. Het tapijt had Herman gekregen van zijn zus. Hij vond het lelijk. Claire haalde haar schouders op, alsof ze zijn gedachten kon lezen, en ermee bedoelde dat dit het moment niet was om over het tapijt te zeuren.

'Niemand uit de buurt heeft iets gezien, getuigen vinden wordt moeilijk. We willen nu vooral met het meisje praten.'

De agenten stonden op, alsof ze verwachtten dat het meisje uit een kast tevoorschijn zou springen. Toen dat niet gebeurde, maakten ze aanstalten te vertrekken.

'En nu?' vroeg Herman.

Agent Hauspie stak zijn handen in de lucht.

'Uw zoon mag thuisblijven. Als het onderzoek afgerond is, zal het parket beslissen of uw zoon voor de jeugdrechter verschijnt. Morgen hebt u wel al een afspraak met de sociale dienst van de rechtbank.' Hij wandelde door de slagerij, met een versufte Herman achter zich aan, en tuurde in de toonbank naar de worsten. Misschien had hij vandaag zijn middagmaal gemist door de ondervraging van een tiener met heldenallures.

'Had u enkele worsten gewenst?' vroeg Herman. 'Ze zijn van het huis.'

Agent Hauspie draaide zich om, en grijnsde.

'Dank u, meneer Bracke. Ons loon is niet indrukwekkend, maar ook niet zo slecht dat we ons geen avondmaal kunnen veroorloven.'

Al het bloed trok naar Hermans hoofd en maakte zijn benen slap.

'Zo bedoelde ik het niet, ik wilde u enkel ...' Hij kon beter zwijgen. Hij morrelde aan het slot van de voordeur, dat altijd op dergelijke momenten leek vast te zitten. Uiteindelijk kreeg hij het open, en met een rode kop leidde hij de agenten naar buiten. De vertegenwoordiger was verdwenen, stelde Herman opgelucht vast.

'De aangereden man heeft nog geen gerechtelijke stappen ondernomen. Nog niet. De kans dat het toch gebeurt, lijkt me groot', zei Hauspie terwijl Huyghe al naar de patrouillewagen wandelde. 'Hij ligt in het ziekenhuis. Heup uit de kom, gekneusde en gebroken ribben, gescheurde lever. Geen fraai plaatje. Hij heeft nu wat anders aan zijn hoofd dan rechtbankprocedures. Maar als hij eenmaal het ergste achter de rug heeft, bent u de klos, vrees ik.'

Herman knikte.

'Veel hangt ook af van de verklaring van het meisje. We hebben een vermoeden om wie het zou kunnen gaan. We houden u op de hoogte.'

Hij gaf Herman een stevige handdruk.

'Meneer Bracke, ik wens u toch nog een goede dag.'

Herman knikte. Hij vroeg zich af of hij dat ooit nog zou mogen beleven, een goede dag.

*

Had ze het geweten, dan had Magda het bord bij Walters thuiskomst op zijn hoofd aan gruzelementen geslagen.

Omdat ze net de tafel dekte voor zijn vieruurtje, miste ze de aankomst van de politiewagen voor de slagerij. Ook al was het zicht op zich niet spectaculair, alleen al door de aanwezigheid van de politie zou haar hoop terug opflakkeren: dat er toch iets aan de hand was, dat alles niet opnieuw normaal was, dat de neergang van Hermans slagerij sneller kwam dan verwacht.

Maar nu stond ze aan de keukentafel en legde ze vork, mes, zomerpaté, boter en de krant van vandaag klaar voor de komst van haar postbode. Terloops las ze de koppen van de krant – gezeur over asielzoekers in een kerk, een presentatrice over haar couveusekindje en een blunder van het ministerie van Financiën – terwijl ze het papier rond de paté openvouwde en een stukje afsneed. Ze proefde ervan met hetzelfde voorbehoud als een driesterrenchef bij het aperitiefhapje van een stagiair. Hij smaakte precies als altijd, misschien een beetje zuriger. Ze sneed nog een plakje af. Hij smaakte goed, hij smaakte eigenlijk verbluffend. Herman Bracke was gewoonweg een klasbak als het op paté aankwam.

Spijtig dat je zulke dingen niet besefte als je zeventien was. Hoe zou Herman Bracke er als zeventienjarige hebben uitgezien? Leek hij op Wesley? Misschien toch meer een sullige dikzak, dacht ze. Ze zou nooit naar hem omgekeken hebben. Zij viel voor een gespierd lijf met een zwarte krullenbol, een grappige sportieveling die salto's in de golven maakte, die altijd won bij het strandvolleybal, bij wie ze achter op de fiets mocht zitten als hij een picknick organiseerde. Een sociale jongen die gemakkelijk vrienden maakte, die dagdroomde en zijn tijd besteedde aan protestacties en betogingen in plaats van studeren, een jongen die weggelopen was uit een tv-serie, wat hem nog stoerder en aantrekkelijker maakte. Het was zonde, dacht ze, dat ze een partnerkeuze had gemaakt toen ze nog niet in haar eigen onderhoud moest voorzien, en daardoor foute criteria hanteerde: een buik als een wasbordje, populariteit, seksuele aantrekkingskracht.

Terwijl Herman wars van vrouwelijke aandacht aan zijn toekomst en een gevulde spaarrekening werkte, lummelde populaire Walter maar wat aan en slaagde hij erin zowel zijn als haar toekomst te verkwanselen, niet alleen door haar zwanger te maken, maar ook door verdere studies af te zweren en te kiezen voor een arbeidersbestaan, een leven als gewone man, wat volgens Walter hoogverheven was boven het milieuvervuilende en onethische zakenleven. Met zijn loon als postbode waren ze voorbestemd voor een leven van leningen, tweedehandsauto's, vakanties in eigen land en winkelen in de Aldi en de C&A.

Kon ze maar herbeginnen. Ze sneed nog een stuk van de paté. Nu smaakte hij echt zuur. Maar dat kon alleen aan haarzelf liggen.

*

Catherine hoorde het knallen al toen ze de motor van de 207 CC afzette. Ze zuchtte, stapte uit en opende de deur van het huis. Telkens als ze binnenkwam op een warme zomerdag, genoot ze van de koelte van de hal. Ze wandelde door de woonkamer en bleef voor de schuiframen naar de tuin kijken, waar de molen grote schaduwen over het gras gooide. Waar maakte Jan zich eigenlijk druk over? De schaduwen stoorden haar niet, integendeel, als ze er nog lang naar keek, wiegden ze haar in slaap, die rustig glijdende vlekken. Ze bedacht hoe heerlijk het zou zijn om hier met Bienvenue te wonen. Geen gezanik meer over een dominante moeder die elke week op een ongepast ogenblik op bezoek kwam, geen kinderlijk gezeur over de aanslag op de tuin. Bienvenue zou niet klagen over de tuin, hij zou Catherine meenemen naar het zachtste stukje gras en haar neuken op het ritme van de wieken.

Ze opende het schuifraam en de hitte sloeg haar in het gezicht. Een blikje ving de hagel met een metalig geklik, een griezelige doodsreutel. Ze rilde. Ze wandelde de tuin in en ging midden tussen de vallende schaduwen staan. Ze was stom geweest vandaag. Ze had gisteren de brief op de post gedaan met de bedoeling een tijdje bij Bienvenue uit de buurt te blijven. Anders raakte ze volledig aan hem verslaafd. Elke keer als ze bij hem was geweest, wilde ze nog sneller terug. En elke keer als ze aan dat verlangen toegaf, nam ze een gigantisch risico. In een dorp als dit bleef niets geheim. Het was al een klein mirakel dat er nog niemand iets tegen Jan had gezegd. Misschien lag haar bescherming in het eeuwenoude cliché dat de bedrogen partner altijd als laatste op de hoogte is.

Gisteren was ze, toen ze bij hem vertrok, op het vreemde meisje met het hondje gestuit dat ze een dag eerder bij Jan zag. Toen ze bijna tegen haar aan struikelde, had ze de definitieve beslissing genomen om minder bij Bienvenue langs te gaan. Ze had de brief geschreven waarin ze hem uitlegde dat hij haar minstens een week niet meer zou zien, er een cadeautje bijgevoegd, en hem op de post gedaan, nadat ze barbecuevlees en kolen had gekocht. En nu, nog geen vierentwintig uur na haar goede voornemens waar ze rotsvast in geloofde, had ze zijn smaak in haar mond en zijn geur rond haar lijf, een geur waarvan ze hoopte dat enkel zij hem kon ruiken.

Toch was het niet zozeer dat besef dat aan haar knaagde, het onbehagen was ontstaan in die ene seconde, net voor ze bij het raam wegsprong, toen de blik van Camerlynck over haar lijf gleed. Ondanks de verzengende middaghitte rilde ze bij de gedachte aan de griezel, hoe hij daar als een idioot over het muurtje gluurde en naar het hondje van het meisje schreeuwde. Hoe hij toen, alsof iemand hem iets had ingefluisterd, naar de gevel keek en uiteindelijk naar haar. Ze hoopte dat hij haar niet had herkend, dat hij te veel afgeleid was door het onverwachte zicht op vrouwelijk naakt om naar haar gezicht te kijken.

Waar ze over haar ontmoeting met het meisje nog van alles kon verzinnen, was dat bij de confrontatie met Camerlynck onmogelijk. Ze stond naakt voor het raam van Bienvenue. Duidelijker kon het niet. En als Camerlynck haar herkend had, zou het niet lang duren voordat andere mensen in het dorp het ook wisten. Haar huid trok samen in kippenvel en een koude gleed als een ijsblokje over haar rug, en het kwam niet door de knal waarmee opnieuw een blikje uiteengereten werd.

*

Op haar rug zaten rode striemen. Onder haar oksel waaierden ze uit in paarsblauwe vlekken die pijn deden als haar vingers ze aanraakten. Het was op zijn minst al zes maanden geleden dat ze dit had gevoeld. Saskia wist hoe het gekwetste lichaam haar uit haar slaap zou houden, hoe de plekken van blauwpaars naar groenbruin tot geel zouden evolueren. Ze had een uur onder de douche gestaan, maar het verdriet dat ze wilde wegwassen was er nog steeds.

Het T-shirt was goed voor de voddenmand. Het speet haar, het was haar favoriete T-shirt geweest. Ze haalde een van haar andere twee T-shirts uit de kast en beet op haar tanden terwijl ze het over haar hoofd trok. De stof gleed als schuurpapier over haar wonden. Een bh hoefde niet, ze wilde die marteling vermijden. Ze ging op bed zitten, schoof traag de broek over haar benen en verborg zo de striemen en bloeduitstortingen die ook daar een abstracte schildering vormden. Ze had zwakke aders, ze was gevoelig voor blauwe plekken.

Zeppos drentelde rond haar voeten. De energie ontbrak haar om hem te aaien.

'Lieve Zeppos', fluisterde ze. 'Mijn lieve, kleine Zeppos.'

De bel ging. Zeppos spitste zijn oren en stoof de kamer uit. Saskia verkrampte. Opa! Kreunend kroop ze onder het laken. De bel ging nog eens. Zeppos blafte.

'Zep, kom hier', fluisterde ze. Ze kroop dieper weg, sloot haar ogen en stopte haar vingers in haar oren. Opa vloekte en bonkte op de deur. Uiteindelijk stampte hij ertegen tot hij uit zijn hengsels vloog. Razend stormde hij op haar appartement af. Ze gilde.

Er gebeurde niets. De deur was sterk, hij kon hem niet instampen. Dat hoopte ze. Dat hoopte ze erg hard.

Ze hield haar adem in. De bel ging over, langer dan de vorige keren. Opa was woedend. Nu maakte ze zeker niet meer open. Nu moest de deur onbreekbaar zijn, anders had ze niet lang meer te leven. Zeppos blafte. Saskia hoorde hem terug naar de kamer trippelen. Hij hijgde aan de deur. Hij wachtte tot ze iets deed. Ze deed niks. Ze bleef stokstijf liggen.

De bel ging nog eens. Zeppos stoof weg.

Toen niets meer.

*

'Ze is niet thuis', zei agent Huyghe.

'Of ze doet niet open', zuchtte Hauspie. Hij belde, langer deze keer.

'Mevrouw Maes, politie', riep hij tegen de deur. Hij boog voorover om iets door de brievenbus te roepen.

'Kom, het heeft geen zin', zei Huyghe. Hauspie bleef nog twee minuten voor de deur staan tot hij het uiteindelijk opgaf.

Terwijl zijn ouders in de woonkamer elkaar allerlei verwijten naar het hoofd slingerden – wat hij nogal bizar vond aangezien hij de grote schuldige was – zocht Wes de nieuwssites af naar berichten over zijn heldendaad. Blijkbaar was ook de buitenwereld niet onder de indruk van de manier waarop hij die middag een meisje had gered. Nu begreep hij ten volle hoe Batman zich voelde toen hij tot vijand werd verklaard van de stad die hij wilde redden. Had hij echt verwacht dat zijn daad op gejuich onthaald ging worden? Eigenlijk wel, ja. Oké, hij had niet iemand uit een brandend huis gered midden in de nacht, maar dit was toch ook niet niets. Het land stikte van de pedofielen en de aanranders, en nu kon een jongere eens positief in het nieuws komen in plaats van door drugs of spijbelen of wat al die oude zakken ook zo schokkend vonden aan het jonge volkje. Maar nee, niets was er te vinden. Wilden ze dan liever het meisje geslagen, geschopt en verkracht zien worden? En gedumpt in het portiek?

Hij wilde zijn internettocht opgeven, toen hij plots de ingeving kreeg naar de site van de plaatselijke weekkrant te surfen, een wanhoopspoging. En daar stond, niet groot maar toch duidelijk aanwezig in de rubriek met korte berichten aan de rechterkant, het kopje: 'Incident met fiets'.

Hij klikte het aan.

Deze middag vond een vreemd incident plaats ter hoogte van het uitzendbureau in de Nieuwstraat. Omstreeks het middaguur werd een man van gepensioneerde leeftijd aangereden door een fietser. De man raakte daarbij ernstig gewond aan de heup en de ribben. De fietser, een jongeman van ongeveer zeventien jaar, werd door de politie aangehouden maar na verhoor vrijgelaten. Volgens de politie verklaarde de jongeman, die bij het gerecht niet bekendstaat voor criminele feiten, dat de bejaarde man een meisje lastigviel. De politie kon over dit spoor geen uitsluitsel geven. Een mislukte roofpoging sluiten zij niet uit.

Wes las het stukje nog eens. Criminele feiten! Roofpoging! Hij kwam er verdorie uit naar voren als dader. Was het meisje al die ellende waard geweest?

Hij wist goed genoeg dat hij haar niet alleen gered had omdat hij zo'n rechtschapen misdienaar was. Hij had het vooral gedaan om indruk te maken. Op Machteld, uiteindelijk.

Daarom klikte hij het icoontje 'share' aan, koos de socialenetwerksite en deelde het berichtje met de tekst 'Deze middag meisje gered in de Nieuwstraat'. Hoe zijn 351 vrienden zouden reageren, interesseerde hem niet. Het ging om haar. Om Machteld.

# 4

# Donderdag

Om twee uur 's nachts zat dierenarts Jan Lietaer op het toilet. Hij kreunde terwijl de diarree in de pot kletterde, zo hard dat hij het tegen zijn billen en onderrug voelde opspatten. Samen met zijn darmen kromp ook zijn maag in elkaar, zodat er gelijktijdig stront uit zijn kont stroomde en zurige gal uit zijn mond. Jan had bijna een halve rol wc-papier nodig om zijn achterwerk schoon te vegen, en toen hij eindelijk zijn slip wilde optrekken, voelde hij een nieuwe stroom tegen zijn sluitspier duwen.

Jan Lietaer was niet alleen. Ze waren met velen, die nacht. Aan de andere kant van het dorp bijvoorbeeld zaten Walter en Magda De Gryse afwisselend te vloeken boven de pot (Magda vloekte heel wat harder dan Walter, die dan weer vaker aandrang had). In het verwaarloosde herenhuis tegenover de apotheek waren de knieën van mevrouw Deknudt te oud om haar tijdig tot bij het toilet te brengen. Midden in de gang zakte ze op de grond. Ze liet zich noodgedwongen gaan op de dure art-decotegeltjes, waarvan ze merkte, nu ze er zo dichtbij lag, dat ze een dweiltje nodig hadden. Ze kon toch beter een hulp in huis halen, ze werd te oud om het huis op haar eentje te onderhouden. Morgen belde ze een hulpdienst. Als ze dit overleefde tenminste, want hoewel mevrouw Deknudt iets gewend was – in de oorlog had ze nog bloembollen en suikerbieten gegeten – dacht ze nu waarlijk dat haar laatste uur geslagen had.

De kramp overviel hem een goede kilometer buiten Blaas-hoek. Walter had gedacht dat hij het zou halen, maar hij had verkeerd gedacht. Nu was het te laat voor spijt. 'Blijf thuis', zei Magda, toen hij weer op de pot zat. 'Blijf thuis en meld je ziek.' Dat woord alleen al – ziek – deed hem beslissen toch naar het werk te gaan, al trok de vermoeid-heid aan zijn oogleden, en voelde zijn binnenkant als de ballenbak tijdens een lottotrekking. 'Ik heb me nog geen enkele dag ziek gemeld, en vandaag is niet de eerste om dat te doen', wilde hij zeggen, maar hij durfde niet: Mag-da tegenspreken was je doodvonnis tekenen. Bovendien ontnam de kreun die aan hem ontsnapte hem de adem om te praten.

Hij moest zich op iets anders concentreren, of hij zou het niet langer kunnen ophouden. Hij had nog één kilo-meter te rijden, en dan kon hij snel thuis binnensprin-gen om ...

Te laat. Hij lichtte zijn kont van het zadel, maar kon daarmee niet voorkomen dat zijn sluitspier een ietse-pietsje opende. Een warme vochtigheid kroop tussen zijn billen omhoog en kleefde kil tegen zijn vel. Zo dicht bij huis. Walter vloekte. Beverig stuurde hij de fiets naar de kant, sprong er af en gleed de oever van het kanaal af. Hij hoopte dat de molens de enige getuigen zouden zijn.

Al snel merkte hij drie plezierjachten die aan de kade aangemeerd lagen. Hij kon niet meer terug. Sinds hij de helling afdaalde, had zijn lichaam zich al verheugd op de ontspanning. Zijn sluitspier werd slapper, zijn darmen maakten zich klaar voor het persen. Hij hurkte en voor hij het goed besefte, zag hij de smurrie tussen zijn benen over het rosse gras glijden.

Man, wat luchtte dat op. Ondanks de ongemakkelijke houding en de angst voor een vuil uniform voelden die eerste seconden als een bevrijding. Dat heerlijke moment van verlichting verdrong het gênante geborrel van zijn darmen en de felle winden die daarmee gepaard gingen. Walter probeerde niet te kijken naar de stront, al kon hij het niet laten om af en toe een blik te werpen op de bruine slang die onder zijn broek door de helling af gleed. Hij richtte zijn aandacht op het groepje boterbloempjes wat verderop. Ze wiegden in de zachte bries, alsof ze goedkeurend naar hem knikten: dat heb je goed gedaan, Walter, je kon het toch niet meer ophouden. En als je het niet kunt ophouden, waarom zou je je dan niet eens lekker laten gaan? Hij grinnikte en verplaatste zijn aandacht naar de jachten en toen naar de molens. Met een doodsreutel kwam voorlopig een einde aan de buikloop. Walter zuchtte en probeerde recht te staan.

Toen voelde hij een tweede golf komen en hij zette zich schrap. Opnieuw tuurde hij naar de boterbloempjes. Ze wiegden niet meer zo enthousiast.

Het klotsen van het water tegen de jachten was rustgevend. Hij moest hier eens terugkomen, gewoon om in de schaduw van de molens te genieten van de natuur. Het plezierjacht dat het dichtst bij hem lag, heette Egoïste, zag hij nu. Wat een walgelijke naam. Walter begreep niet dat mensen die zoveel geld verdienden een totaal gebrek aan goede smaak hadden. Dat ze in een x5 of een Cayenne reden, tot daaraan toe, iedereen had het recht een bepaald gebrek te willen compenseren. Dat ze roze hemden met witte kragen droegen, goed, het was hun keuze om er als een slappe lul bij te lopen. Maar dat ze hun boten Egoïste doopten? Dat was decadentie ten top.

Schuin onder de 'g' van de naam zat een patrijspoort. Achter die patrijspoort lachte een gezichtje hem toe. Het hoofd bewoog. De blonde krullen dansten op en neer, het gezichtje keek achter zich en toen terug naar hem. Nu zag hij ook een handje, dat naar hem zwaaide. Het kind draaide zich opnieuw om, alsof het aangesproken werd. Toen verscheen een mannengezicht achter het kind, dat ophield met lachen en zwaaien. Het mannengezicht verdween even bruusk als het gekomen was. Het kind verdween ook.

Shit! Walter veegde snel zijn gat af met wat losgetrokken graskluiten en probeerde recht te staan. Zijn benen, slaperig door het lange hurken, vonden geen houvast. Hij gleed uit over de diarree, met zijn broek ongeveer op zijn knieën, en rolde op zijn zij, waarbij hij de boterbloempjes verpletterde. Hij moest eerst zijn broek omhoogtrekken voor hij de helling kon opklimmen. Het elastiek van zijn onderbroek bleef onder zijn ballen haken.

'Hé, jij daar!'

De egoïst sprak met een Limburgs accent. Walter ritste zijn broek dicht. Hij begon aan de klim naar zijn fiets.

'Hé, hé, jij!'

Walter hoorde de man stommelen op het dek, maar waagde het niet achter zich te kijken.

'Kom terug, meneer!'

Walter klauterde verder. Hij had het moeilijk, om de een of andere reden waaierde een kloppende warmte van zijn rechterhand uit over zijn onderarm.

'Ik vind je wel, kinderlokker! Ik bel de politie!'

Terwijl de man verwijten bleef roepen, peddelde Walter zwalpend Blaashoek binnen. De pijn die in zijn beide handen tintelde, voelde hij nu ook aan zijn billen kietelen. Zijn hand zat onder de rode vlekken en witte blazen, en Walter besefte waarmee hij zijn kont moest hebben afgeveegd.

'Nee, nee, nee', kreunde hij.

*

96

Magda strompelde naar de apotheek. Ze zuchtte van opluchting toen ze merkte dat er niemand in de benauwde ruimte stond. Meneer Camerlynck zelf was er ook niet. Ze leunde over de toonbank, want ze wilde geen tijd verliezen, en spiedde in de ruimte achter de apotheek. Ze hield haar adem in, alsof ze bang was dat de apotheker haar onbeleefde gegluur zou merken. Ze zag hem staan, in het keukentje, hij tuurde uit het raam naar boven, als een kind dat een luchtballon ziet.

Ze had geen tijd om te wachten tot meneer Camerlynck ontwaakte uit zijn dagdromerij. Ze schuifelde heen en weer en kuchte. Ze kuchte nog eens en trommelde met haar vingers op het glas van de toonbank. Eronder zat een affiche. *Geef teenschimmels geen kans!* In de vakjes achter de toonbank stonden kleurrijke dozen vitamine-supplementen uitgestald. Ze trommelde nog eens op het glas, net boven een groen monstertje dat een teennagel omhooghief om zich eronder te nestelen. Ze wilde juist opnieuw vooroverleunen om in het deurgat te kijken, toen ze meneer Camerlynck in haar richting hoorde sloffen.

'Ah, mevrouw De Gryse,' zei hij toen hij binnenkwam, 'wat een genoegen u hier te mogen begroeten.' Hij zei het op zo'n lijzige toon dat het leek alsof hij net het tegendeel bedoelde: dat hij wilde dat ze oprotte.

Magda staarde naar de grote, gele tanden die zijn glimlach vulden, en zei toen: 'Ik wil graag een doosje Imodium, meneer Camerlynck.' Ze schaamde zich voor haar vraag, zoals altijd, omdat ze dacht dat de apotheker een waardeoordeel over haar velde telkens als hij zich over haar medicijnvoorschriften boog.

'Imodium', mompelde meneer Camerlynck. Hij schuifelde naar een lade die vol netjes gerangschikte doosjes stak. Zijn knokige vingers visten er eentje uit. Hij scande de barcode en toetste iets in op zijn computer.

'U bent de derde die vandaag om Imodium komt', zei hij terwijl Magda haar portefeuille opende. 'De zomer begint net, niet het moment waarop je een buikgriep verwacht.' Hij draaide zich glimlachend naar haar toe. 'Of zou iedereen iets verkeerds gegeten hebben gisteren?'

Magda zweeg. Ze wilde graag snel afrekenen.

'Misschien waren de barbecueworsten van Herman bedorven', gniffelde meneer Camerlynck.

'Wie kwam er nog meer Imodium kopen?' vroeg Magda. Plots zag ze een grote pot voor zich, een pot die haar een dag eerder had staan uitlachen vanuit een toonbank. Achter die toonbank pronkte een dikke kont in een nieuwe jurk.

'Mevrouw De Gryse, wat vraagt u nu?' Meneer Camerlynck giechelde, alsof ze net om aambeienzalf gevraagd had. 'Ik kan u toch niet vertellen wie hier welke medicijnen komt kopen? Dat is beroepsgeheim!'

Hij nam haar geld aan. 'Maar ik kan u wel vertellen dat ík vandaag geen Imodium nodig heb.' Hij glimlachte weer, en snoof erbij.

'Ik denk niet dat het aan Hermans barbecueworsten ligt', zei Magda. 'Maar mag ik u vragen, meneer Camerlynck, of u soms Hermans zomerpaté eet?'

'Natuurlijk mag u dat vragen, mevrouw De Gryse.' De apotheker stak de pillen in een papieren zakje, zodat Magda's medische privacy gewaarborgd bleef als ze straks de straat overstak. 'Ik eet nooit paté. Het zal aan mij liggen, hoor. Ik vraag me altijd af wat zo'n slager daar allemaal in steekt. Stond u daar al ooit bij stil? Hij zal toch niet zijn béste vlees in de paté draaien?'

Magda knikte.

*

Op hetzelfde moment dat Magda de deur opende om eerst naar het toilet te gaan, daarna een Imodium-pil te slikken en vervolgens naar de plaatselijke journalist te bellen, zat Jan Lietaer in ontbloot bovenlijf uit het raam aan de straatkant te staren. Hij keek naar een boom, een haag, een geparkeerde auto, naar alles wat in het kader van het raam paste, maar zag niets bewust. Daarna staarde hij naar het zwarte scherm van de tv, alsof hij verwachtte dat het nieuws er vanzelf op zou verschijnen. Hij staarde naar de brievenbus toen hij er een gerommel in hoorde en vervolgens naar de postbode die voorbij het raam fietste. Walter reed snel vandaag, de duivel zat hem op de hielen. Zweet prikte op Jans huid. Hij krabde, maar de jeuk verdween niet. Hij schuurde zijn rug tegen de stof van de stoel, dat hielp al wat beter.

De oorlog in zijn darmen leek gestild, drie uur nadat hij een verloren pil had gevonden in het kastje in de badkamer. Nu voelde hij zich enkel nog leeg en verveeld, en een suffe koppijn klopte achter zijn slapen. Hij zat al een hele tijd naar de thermostaatknop van de radiator te staren, en hij verlegde zijn aandacht opnieuw naar de brievenbus. Zou hij hem legen? Elke vezel in zijn lijf zei nee. Hij krabde in zijn borsthaar en gleed met zijn hand naar zijn navel, waaruit hij een wolletje pulkte. Hij rolde het wolletje tot een staafvormig stukje stof en schoot het weg.

Hij kon toch best de brievenbus legen. Hij zuchtte. Eerst even controleren of er iets uit zijn neus te halen viel. Linkerneusgat niets. Rechter ook niet.

Vandaag ontving hij geen klanten. Niet alleen omdat er waarschijnlijk niemand kwam, maar ook omdat hij er geen zin in had. Het zou weer een verstikkend warme dag worden. Het werd tijd dat het eens regende, voor het gazon. Zijn mooie gazon in zijn Zuid-Franse tuin. Dat is wat hij zou doen, straks: de ligstoel naar buiten rijden en de hele dag dutten in de zon, af en toe een colaatje drinken, of een biertje. Geen schietoefeningen vandaag, dat kon zijn vermoeide hoofd niet aan. Hij hoopte dat de schaduwen van de molen zijn dutje niet verstoorden.

Hij zou proberen eraan te wennen. Die stomme molen was er nu, hij kon er niets meer aan doen. Hij zou ook niet meer worden weggehaald. De publieke opinie stond er veel te positief tegenover. Jan kende maar al te goed de afloop van protesten tegen de bouwwoede van de overheid. De wijk waardoor een autosnelweg was gepland, kwam altijd in opstand onder leiding van de grootste klep van de straat. Het maakte helemaal niets uit, omdat het de rest van de bevolking geen reet kon schelen. Zolang ze zelf maar sneller aan de kust geraakten in de zomer. Het protest bleef beperkt tot die ene straat, en al gauw verhuisden de jonge gezinnen – zij die het nog konden – en ten langen leste bleef nog één hardnekkige vijftiger protesteren met een zielig bord aan zijn voorgevel.

De molen was precies hetzelfde. De mensen in de stad, zij die er geen hele dagen op moesten kijken, vonden het geweldig. Hij kon zich eraan ergeren en betogen en protesteren als een don quichot. Geklaagd en gezaagd had hij al, vooral tegenover Catherine. Het haalde niets uit, integendeel. Jan koos er daarom voor zich erbij neer te leggen. Een gebrek aan ruggengraat, noemde zijn moeder het. Ze deed maar. Eenzaam verzet was zinloos. Er waren zoveel andere zinloze dingen veel leuker om te doen.

Jan geeuwde. Het dutje zou hem deugd doen. Hij stond op uit de sofa, wat hem deed duizelen. Hij rekte zijn armen en zijn wervels schoten krakend in de juiste plooi. Hij rook onder zijn oksels, het viel mee. Hij slofte naar de brievenbus en opende het deurtje. Ah, de krant, die was hij zelfs helemaal vergeten. Het nieuws van de dag zou een aangename partner worden in de ligstoel.

Er waren meer brieven dan hij verwacht had. Hij nam ze snel door, en ontdekte twee enveloppen voor nummer 27. Het was niet de gewoonte van Walter om zulke fouten te maken. De laatste keer dat hij een brief kreeg voor 27 in plaats van 72, drie jaar geleden, kort na Nieuwjaar, had hij er Walter een half jaar mee geplaagd. Het maakte hem niet uit, hij stak de brieven straks – morgen leek hem realistischer – zelf bij 27 in de bus.

Nu wilde hij vooral de tuin in. Hij legde de brieven op het tafeltje naast de brievenbus, las snel de koppen van de voorpagina van de krant – een man had zijn vrouw en dochter gegijzeld, de minister van Defensie had een snoepreisje afgedaan als een dienstreis en er was afval geloosd in een rivier – en wandelde naar de keuken, waar hij een pijnstiller met wat water doorslikte vooraleer de tuin in te gaan.

*

'Hij zat dáár.' De man wees naar een plaats schuin tegenover de boot. Agent Hauspie zag er een vage, bruine vlek, waarboven vliegen cirkelden. Hij hoefde de plek niet nader te inspecteren om te weten wat het was.

'Vertelt u me eens wat er precies gebeurd is, meneer ...'

'De Graaff. Wel, die man zat dáár, deed zijn behoefte en toonde zijn geslachtsdelen aan mijn dochter.' De man wees naar een meisje van een jaar of zes, met schattige blonde krullen. Ze keek op naar haar vader zoals enkel meisjes van zes dat kunnen. 'Ga jij maar terug naar binnen, Lara', zei meneer De Graaff. Het kind gehoorzaamde.

'Kunt u de dader beschrijven?' vroeg agent Hauspie.

'Ik heb zijn gezicht niet goed gezien, maar hij had donker haar, denk ik.'

'U was te veel afgeleid door andere lichaamsdelen',

grinnikte agent Hauspie. Huyghe, die wat verderop stond, probeerde haar lach te onderdrukken.

'Ik hoop dat u hier geen geintje van maakt! Die pervert zit in zijn blootje voor mijn boot, in het zicht van mijn dochter, en u maakt er grapjes over? Wat voor land is dit? Ik eis dat u deze zaak grondig onderzoekt!'

'Maakt u zich geen zorgen, meneer. Welke kleren droeg de dader?'

'Hij was helemaal in het blauw gekleed.' De Graaff keek Hauspie dreigend aan, alsof hij daarmee wilde voorkomen dat er een nieuwe flauwe mop tussen werd gegooid.

'In het blauw', herhaalde de agent.

'En op zijn T-shirt zat een rood-wit logo, uit de verte leek het wat op het logo van Tommy.'

'Tommy?'

'Tommy Hilfiger', zuchtte de man. 'De ontwerper.'

Agent Hauspie knikte en noteerde in zijn aantekenboekje: *Tommy Hillfinger*.

Hij wandelde de kade op. De Graaff volgde hem. Hauspie draaide zich om en zijn ogen gleden vanzelf naar de witte reuzen. Als hij er nog langer naar keek, zouden ze hem hypnotiseren. Hij wendde zijn blik af, ze maakten hem nerveus.

'U gaat toch een staal nemen van het bewijsmateriaal?'

Hauspie trok zijn neus op. Hij moest er niet aan denken. Zijn maag keerde al als hij naar de zoemende dikke vliegen keek.

'Dat hoeft voorlopig niet.'

'Maar die poep zit vol DNA! Daaraan kunt u de dader herkennen!'

'We vinden de dader zo ook wel, neemt u dat van me aan. Als we hem bij de kraag hebben, zal hij aangeklaagd worden voor exhibitionisme. Als u dat wilt, kunt u zich aangeven als benadeelde partij.' Hauspie betrapte zichzelf erop dat hij een Limburgs accent aannam en dat

102

hij zich hoe langer hoe meer ergerde aan blaaskaak De Graaff.

'Nou, wees er maar zeker van dat ik dat doe. Nu met-een, als het kan.'

'Ik wil u vragen daarvoor vanmiddag naar ons kantoor te komen. Daar hebben we alles om uw aangifte correct op te nemen.'

De Graaff trok een gezicht. 'Ja, goed, dan offer ik wel mijn namiddag op om die viespeuk te pakken te krijgen.'

'Ik wil u bedanken voor de melding. Ik laat u iets weten als we hem vinden.'

'Dat lijkt me het minste dat u kunt doen.' Hij ging het dek op, dook zijn kajuit in en sloot daarmee het gesprek af.

Hauspie glimlachte naar Huyghe, en liet haar voorgaan de helling naar de straat op.

'Een staal nemen, hoe komt hij erbij?'

'Ik vind het geen slecht idee, Roger', lachte Huyghe.

Hauspie slikte.

'Nu we toch in Blaashoek zijn, kunnen we evengoed nog eens bij Saskia Maes aankloppen', zei hij.

*

Claire kreeg het bijna aan haar hart toen Hauspie en Huyghe voorbij de slagerij reden. Even overviel haar de angst dat de patrouillewagen zou stoppen en dat haar zoon er opnieuw zou uitstappen. Maar dat kon niet, Wesley zat boven op de computer te spelen terwijl zijn vader zich klaarmaakte om met hem naar de sociale dienst van de jeugdrechtbank te gaan. Herman wilde zijn beste pak aantrekken om een goede indruk te maken. Ze voelde pas enige rust toen het voertuig uit haar gezichtsveld verdween.

Het was opvallend rustig in de slagerij. Normaal gesproken waren mevrouw Deknudt, Magda De Gryse en Catherine Lietaer al om vlees gekomen. Vandaag bleven ze weg. Waarschijnlijk had het verhaal over Wesleys wangedrag de ronde gedaan. In dit dorp bleef niets geheim. Wie iets uitspookte, werd met de nek aangekeken. Een zelfstandige die iets uitspookte, zag zijn zaken kelderen. Misdaden werden cash betaald.

Was dit haar lot? Dat haar dorpsgenoten de slagerij meden omdat hun zoon in een kleine crimineel was veranderd? Ze zag hen al staan fezelen. Dat Wesleys slechte manieren een gevolg waren van háár slechte opvoeding. Dat ze het manneke te veel verwaarloosde. Dat hij daarom stunts uithaalde. Of dat ze hem net te veel verwende, waardoor hij oude mannetjes overviel om zijn grillen te bekostigen. Want Claire had toch altijd neergekeken op de gewone mensen? Of ... Ze sloeg met haar vlakke hand op de toonbank. De pijn deerde haar niet, het maakte haar enkel kwader. De aanstookster van dit embargo was zonder twijfel Magda De Gryse. Iedereen wist dat ze stikjaloers was op hun succesvolle leven. Bovendien had Magda nog een denkbeeldig appeltje met haar te schillen, aangezien ze Claire ervan verdacht haar kat Minous vermoord te hebben. Het stomme beest verdween enkele jaren geleden spoorloos. Magda bazuinde overal rond dat Claire de kat had vergiftigd. Iedereen wist dat het beest gewoon was gaan lopen, en gelijk had het, er viel niet te leven bij dat paranoïde wijf. Geen wonder dat de dochters nauwelijks op bezoek kwamen. Als er iemand de Nobelprijs voor de Vrede verdiende, dan was het Walter.

Claire sloeg een tweede maal op de toonbank. Ze zou zich niet laten kisten. De klanten keerden wel terug als ze eenmaal genoeg hadden van de buitenlandse hormonenrommel uit de supermarkt.

Herman en Wesley gedroegen zich de laatste tijd als

onhandelbare apen, maar binnen de kortste keren kreeg ze hen weer in het gareel. Dat haar zoon straks naar de jeugdrechtbank ging, was een nederlaag die ze zo snel mogelijk moest vergeten. Ze tuurde door het raam. De straat lag verlaten in het zonlicht.

Ze kon wel even pauze nemen. Ze kwam van achter de toonbank en wandelde naar de koelkast met aperitieven en wijn. De alcoholistenkast noemden zij en Herman hem. Ooit verkochten ze blikjes groenten en potten saus, maar dat was geen gelukkige greep. Ze vervingen ze door wijn en aperitieven, die gretig aftrek vonden bij de beginnende alcoholisten die hun drankverslaving nog wilden afdoen als een onderdeel van een bourgondische levensstijl. Want wat paste beter bij een kalfsgebraad dan een lekker glaasje wijn? De oudere alcoholisten deden die moeite niet. Op de sluitingsdag van de kruidenierswinkel kwamen zij ongegeneerd in de slagerij een fles kopen, en ze namen er met hun laatste beetje fatsoen een droge worst bij.

Claire gniffelde. Ze lustte ook haar dagelijkse glaasje wijn, maar ze hield het in de hand. Ze koos een fles witte wijn van middelmatige kwaliteit, het beste wat ze verkochten. Ze opende de deur met het opschrift PRIVÉ, ontkurkte de fles in de keuken en dronk haar eerste glas in één teug leeg.

*

Wes lette niet op het ploppen van de kurk, opgeslorpt als zijn aandacht was door de reacties op zijn bericht op de socialenetwerksite. Achttien vrienden hadden gereageerd. De reacties varieerden van 'Zot!' en 'Goed gedaan! ;-)' tot 'Hang een keer de *hero* uit' en '*Wes makes a mess*'. Geen reactie van haar. Nog niet. Hij typte snel wat meer uitleg over wat er precies was gebeurd. Misschien reageerde ze niet omdat ze niet precies wist of hij de good guy of de bad guy was.

Hij zocht haar naam in zijn vriendenlijst, opende haar profiel en klikte door naar haar foto's. Hoewel 'Turkije-Antalya' en 'tuinfeestje' (met foto's aan het zwembad) meer dan de moeite waard waren, koos hij de reeks 'Zomer in Spanje'. Zijn hart bonkte in zijn keel. Machteld achter een cocktail, Machteld met haar ouders op een Spaans marktje, Machteld bij een Romeinse ruïne. En toen, Machteld in bikini op het strand. Hij keek even op van de computer naar de poster van Batman, en toen naar de klok op het nachtkastje. Hij had nog tijd. Hij ritste zijn broek open. De eerste foto's sloeg hij over, ook al waren dat de geilste poses. Maar er stond zo'n Spaanse hufter bij, die leidde zijn aandacht af bij het rukken. Op de derde foto keek Machteld schuin naar de camera, glimlachend, haar armen in haar zij, met een mooi zicht op de glooiing van haar borsten. De foto toonde nog een klein stukje van het bikinibroekje. Wes' piemel werd hard. Hij dacht aan hoe ze zou kreunen. Hij sloot zijn ogen. Plots zag hij het portiek van een uitzendbureau, met daarin een bloedend, lelijk meisje in sjofele kleren en zijn erectie zakte in elkaar.

*

'Mevrouw Maes!'

Saskia had nog maar tien meter gelopen toen het horen van haar naam haar deed springen van de schrik. Door het rukje aan de lijn stopte Zeppos zijn snuffeltocht langs de muren. Hij kwam bij zijn baasje staan, die achteromkeek naar twee agenten die op haar toegelopen kwamen.

'Mevrouw Maes, kunnen we even met u spreken?' vroeg de eerste van de twee, toen hij haar bereikt had. Hij

106

zette zijn armen in zijn zij om even na te hijgen. Daarna haalde hij zijn badge boven.

'Agenten Hauspie en Huyghe van de lokale politie.' Ze keek van het rode gezicht naar dat van de vrouwelijke agent. Ze was jong en knap, ongeveer haar leeftijd. Ze leek op zo'n meisje dat haar in de klas gepest zou hebben, omdat ze naar de koeien rook en kleren droeg die al tien jaar uit de mode waren. Agente Huyghe lachte vriendelijk, iets wat ze niet gewoon was van mooie, succesvolle meisjes. Zoveel vriendelijkheid deed haar blozen, dus keek ze naar de grond.

'Mogen we even met u meewandelen?' vroeg de man. 'Ik zie dat uw hondje zin heeft in wat beweging.' Hij wees naar Zeppos, die terstond blafte. Hij snuffelde aan de broek van agent Huyghe, die door de knieën ging en hem over de kop streelde. Hij liet het zich welgevallen, de charmeur.

'Hoe heet uw hondje?' vroeg Huyghe.

'Zeppos.'

'Mooie naam', zei Hauspie.

'Hebt u hem genoemd naar Kapitein Zeppos?' vroeg Huyghe.

'Van de tv-reeks?' zei Hauspie.

Saskia herinnerde zich de naam uit haar jeugd, uit de tijd toen alles nog in orde was. Ze kende de oorsprong van de naam niet. Haar moeder sprak vaak over een Zeppos. Ze vond het gewoon mooi klinken, de perfecte naam voor een lieve hond.

De vrouw aaide Zeppos nog eens over zijn kop en stond recht. Saskia was niet gerustgesteld door het sympathieke gesprekje, ze was bang. Ze wist waarvoor de agenten kwamen. Opa was gewond geraakt en dat was haar schuld. En nu moest ze boeten. Het enige wat ze kon doen, was zwijgen. Spreken is zilver, zwijgen is goud, zei opa altijd, en hij voegde er meestal lachend aan toe: en voor vrouwen is spreken zinloos en zwijgen een hele goudmijn. Dus zei ze niets. Ze keerde zich om en zette de wandeling voort. Zeppos huppelde zorgeloos vooruit. Agent Hauspie kwam naast Saskia wandelen. Saskia probeerde zich stoer te houden en met rechte rug te lopen, maar het liefst wilde ze onder een steen wegkruipen.

'Mevrouw Maes, we willen u enkele vragen stellen over gisteren. Kunt u mij vertellen waar u was rond half één in de namiddag?' vroeg de agent.

'Ik was in de stad.' Ze zei het niet, ze piepte het. Zeppos ontdekte een lantaarnpaal, en trok aan de leiband. Kon ze maar met Zeppos verdwijnen, gewoon opgaan in de massa en met rust gelaten worden. Werken en tv kijken en af en toe nieuwe kleren kopen of eens naar de kermis gaan, zoals gewone mensen.

'Waar was u precies in de stad?'

'In de Nieuwstraat, ik las de vacatures bij het uitzend-bureau.'

Agent Hauspie knikte. 'Gisteren deed zich een incident voor in de Nieuwstraat,' zei hij, 'omstreeks half één 's middags.' Hij zweeg, Saskia zweeg ook. De vrouw wandelde achter hen, waarschijnlijk inspecteerde ze met een afkeurende blik Saskia's kleren en haar goedkope schoenen. Als ze weer in hun patrouillewagen zaten, zou ze haar collega aanstoten en grapjes maken. Zeppos' onderzoek van de paal was nog niet over toen ze eraan voorbijging. Ze bleef staan. De agenten stopten ook. Ze zouden haar niet lossen totdat ze zei wat ze wilden horen. Ze bleef zwijgen tot ze weer een vraag stelden.

'Was u aanwezig bij het incident?'

'Ik was naar de vacatures aan het kijken bij het uitzendbureau. Ik heb niets verkeerd gedaan.'

'Mevrouw Maes, ik wil u enkel vragen stellen als getuige. U wordt nergens van beschuldigd.'

Zeppos verloor zijn interesse in de paal. Wat verderop, bij de twee buxusboompjes in blauwe stenen potten, was het misschien spannender.

'Mevrouw Maes,' zei de vrouw nu, 'bij het incident was uw grootvader betrokken. Hij werd aangereden door een jongen op een fiets.'

Zeppos bleef snuffelen aan de eerste buxus. Hij nam er een hap van.

'Nee, Zep,' zei Saskia en hij gehoorzaamde.

'Een brave hond', zei agent Hauspie. 'Hij luistert goed naar u. Da's wat anders dan mijn kat. Die krabt mijn halve interieur aan stukken wat ik ook naar haar roep.' Hij glimlachte. Saskia glimlachte niet terug. Dat ene woord had haar achterdocht nog meer gewekt. Roepen, daar hield ze niet van.

'Volgens de jongen die uw grootvader aanreed, viel uw grootvader iemand lastig', zei agent Huyghe. 'Een meisje. Hij sloeg haar, gooide haar in het portiek en trok haar er weer uit. Bent u dat meisje?'

Saskia schrok. De blos op haar wangen gloeide tot in haar tanden.

'Mevrouw Maes, uw getuigenis is erg belangrijk voor het onderzoek', ging de knappe agente verder. 'Als u het meisje bent dat aanwezig was bij het incident, bent u de enige getuige van wat er precies gebeurd is. U kunt voor ons veel duidelijk maken.'

Saskia wist zelf niet meer zo goed wat er gisteren allemaal was gebeurd. Nadat de jongen opa van haar had afgetrokken, was ze een tijdje van de wereld geweest. Hoe erg was opa eraan toe? Ze had geen idee. Als ze vertelde wat ze wist, maakte ze alles alleen maar erger. Misschien was het beter geweest als ze nooit van de boerderij was vertrokken. Het was haar thuis, ze was er veilig. Ze kon niet op haar eigen benen staan. Dat zag toch iedereen? Daar, bij de buxusplant met haar hondje, omringd door twee agenten, werkloos, afhankelijk van overheidssteun, kon het beste de grond onder haar voeten openbarsten zodat ze voor eeuwig en altijd verdween.

'Opa heeft mij niet aangevallen', zei ze. Het bleef even stil aan de kant van de agenten, ze moesten nog verwerken dat ze geantwoord had.

'Maar u hebt uw grootvader gisteren ontmoet?'

'Ja, we hebben even gepraat. Toen ben ik weggegaan.'

'Waarover hebt u gepraat met uw grootvader?'

'Opa vroeg me hoe het met me gaat nu ik alleen woon. Mijn grootouders zijn zeer beschermend. Ze hebben altijd goed voor me gezorgd. Ik ben hun erg dankbaar. Ik wil niet voor problemen zorgen.'

'Saskia, met de waarheid te vertellen, zorg je niet voor problemen. Er komen alleen problemen als je niet de waarheid vertelt.'

Ze wilde gaan huilen. Wat ze ook deed, het was altijd fout. Zei ze de waarheid, dan kreeg opa problemen, vertelde ze de waarheid niet, dan kreeg zij problemen. Ze verkoos de problemen voor zichzelf.

Zeppos trok aan de leiband. Hij wilde verder wandelen na zijn zalige plasje. Maar Saskia kon niet meer verder. Ze draaide zich om en wandelde naar haar appartement.

De agenten volgden, vanzelfsprekend.

'Saskia, je ...'

Trillend stak ze de sleutel in het slot. Ze negeerde de blikken van de agenten. Ze sloot de deur met een harde klap en barstte in tranen uit, leunend tegen de deur, die een brandende pijn door haar wonden joeg.

Buiten vloekte agent Hauspie.

*

'Godverdomme!' Hauspie sloeg met zijn vuist op de motorkap van de patrouillewagen. Hij opende het portier en ging achter het stuur zitten, met een rode kop van de hitte en de woede. Huyghe schoof op de passagiersstoel.

'Het heeft geen zin', zei ze. 'Ze wil haar grootvader niet verraden.'

'Dat begrijp je toch niet', zuchtte Hauspie. 'Waarom wil ze in 's hemelsnaam een vent verdedigen die haar leven om zeep hielp?'

Huyghe klopte hem op de schouder. 'Probeer het niet te begrijpen.'

'We zullen moeten wachten tot we met de maatschappelijk werkster kunnen spreken', beet Hauspie. 'Hoe heette die ook weer?'

Huyghe scharrelde in haar papieren.

'Dorien Chielens.'

'En wanneer komt ze terug van vakantie?'

'22 juli.'

'Godver, dan ben ik zelf met vakantie.'

Huyghe lachte. 'Ik heb nog nooit iemand horen vloeken omdat hij vakantie heeft, Roger.'

Hauspie hikte. 'Ik laat het dan maar aan jou over. Ik hoop dat Dorien Chielens dit meisje zover krijgt om met ons te praten. Ik geloof die jongen van Bracke.'

'Het was ontzettend dom van hem om op die manier de held uit te hangen. Dat kan niet ongestraft blijven.'

'Natuurlijk. Maar er zit een groot verschil tussen een meisje redden van haar gestoorde grootvader en voor de lol een gepensioneerde boer omverrijden.'

'Saskia Maes bevestigde met haar grootvader gepraat te hebben. Ik denk dat de rechter slim genoeg is om een en ander bij elkaar op te tellen, zeker als je er de twee klachten van de sociale dienst tegen grootvader Maes bijrekent.'

'Van die oude Maes zijn we nog niet af. Hij zal proberen Saskia's woonplaats uit te vissen om haar opnieuw te benaderen.'

'Hij is een ongeleid projectiel', knikte Huyghe. 'Een oude boer die met zijn vuisten praat.'

'Ik ga hem binnenkort confronteren met de verklaring van de jonge Bracke. En met de klachten. Eens kijken hoe hij daarop reageert.'

Hauspie gespte zijn gordel vast en startte de motor. Toen deed hij de motor weer uit en maakte de gordel los. Hij knipoogde naar Huyghe, die hem vreemd aankeek.

'Eerst nog even een ander zaakje regelen.' Hij wees naar de overkant van de straat. Daar reed zijn oude klasmakker Walter De Gryse in een blauw postuniform. In het speurdersbrein van Hauspie kwamen een paar puzzelstukjes samen. Hij was de politiewagen al uit voor Huyghe iets kon zeggen.

*

'Walter!'

De postbode draaide zijn hoofd, en het kostte hem enige moeite om de man te herkennen met wie hij zijn eerste sigaret had gerookt en zijn eerste dronkenschap had beleefd. Na die eerste waren er nog vele gevolgd, zowel sigaretten als dronkenschappen. Na de zwangerschap van Magda verloren ze elkaar uit het oog. Walter was al jaren gestopt met roken. Uit de hoestbui die volgde nadat Roger Hauspie hem bereikt had, mocht geconcludeerd worden dat Roger nog niet van de verslaving af was.

'Dag, Roger! Nog altijd Bastos?'

'Nee, Camel Lights.'

Walter grijnsde. Vrouwensigaretten, zouden ze vroeger gesmaald hebben. De mannen schudden elkaar de hand, en Walters gezicht vertrok.

'Wat is er?' vroeg Roger.

Walter toonde zijn hand die nog rood was en jeukte.

'In de brandnetels gerold', zei hij. Hij zweeg over zijn geïrriteerde kont. Het deed hem deugd even te praten, zodat zijn achterste kon rusten van de folteringen van het zadel.

'Wie rolt er nu tijdens de werkuren in de brandnetels?' vroeg Roger.

'Da's een verhaal dat je niet wil horen', lachte Walter. Roger lachte mee, maar werd snel weer ernstig.

'Walter, ik denk dat ik dat verhaal wel wil horen.' Hij kwam wat dichterbij staan. 'Ik heb vandaag namelijk al een verhaal gehoord. Van een kwade vader op een boot.'

Walter voelde zich alsof hij zonet in een drol had getrapt.

'Ik denk dat die vader zich vergist heeft, dat hij een beetje overdrijft', zei Roger. 'Hij uitte nogal, euh, expliciete beschuldigingen aan het adres van een man op een fiets, in blauwe kleren.'

Hij bekeek Walter van boven naar beneden en terug naar boven, waarbij hij zijn wenkbrauwen optrok en zijn lippen op elkaar perste.

'En ik voldoe aan die beschrijving.' Walter probeerde luchtig te praten. Het omgekeerde gebeurde: zijn stem sloeg over. Roger zuchtte.

'Kijk, weet je hoe dat gaat? Er gebeurt iets onschuldigs, en de fantasie van een kind of van een ouder slaat een beetje op hol. Die belt de politie, en vergroot het verhaal nog wat extra uit om er zeker van te zijn dat de politie het serieus neemt. Je begrijpt me wel.'

Walter knikte. De kapitein had dus toch de politie gebeld.

'Zit ik in de shit?' vroeg hij.

Roger bulderde van het lachen. Ook de knappe agente die naast hem was komen staan, grinnikte.

'In de shit, ha ha. Walter, je bent nog altijd een grapjas eerste klasse. Vertel eens, wat is er precies gebeurd?'

Walter zuchtte, de nacht op het toilet en de historie bij de Egoïste waren al erg genoeg op zich, en nu moest hij het nog allemaal vertellen aan zijn oude klasmakker, en in het bijzijn van die vrouw. Roger Hauspie en zijn collega hoorden het verhaal geamuseerd aan, en toen Walter zweeg, met een blos van schaamte, keek Roger bedenkelijk.

'Je riskeert een boete voor wildplassen en voor openbare zedenschennis', zei hij. 'Over dat wildplassen hoef je je geen zorgen te maken. Maar die openbare zedenschennis is geen kattenpis, vooral niet als er een kind bij betrokken is. Het parket is daar nogal gevoelig voor, zeker de laatste tijd, met al die pedofilieschandalen. Dat kan op je strafblad komen.'

Walter kreunde. Roger leek op dreef.

'En dat gaat er niet af, hè, na vijf of tien jaar. Als je weer een blanco strafblad wil, moet je een hele procedure doorlopen. En je kent de procedures in ons landje. Bovendien ben je een ambtenaar, en zullen je oversten worden ingelicht. Dan bestaat de kans dat je nog een extra sanctie krijgt.'

Walter kneep in zijn stuur, alsof hij hoopte dat hij wakker zou worden uit een nare droom. Hij werd niet wakker.

'Misschien komt het niet zover', suste Roger. 'Hangt er allemaal van af hoe het parket tegen de zaak aan kijkt. Ik geloof in je onschuld. Ik heb die blaaskaak gezegd dat hij naar het politiekantoor moet komen om zich benadeelde partij te stellen. Het lijkt me sterk dat hij dat doet. Voor hetzelfde geld is hij vanmiddag al vertrokken met zijn bootje.'

Roger klopte Walter op de schouder.

'Ik raad je wel aan om nooit meer te kakken of te pissen langs de openbare weg. Dat is om problemen vragen.'

Hij wandelde terug naar de patrouillewagen en nam plaats achter het stuur. Hij praatte door het openstaande raam. Geen airco blijkbaar bij de politie.

'Trek het je niet aan, zoiets waait meestal over. Na meer dan twintig jaar in het vak voel ik aan wanneer er een vervolging komt en wanneer niet. En nu denk ik van niet.'

Hij zette de motor aan en wachtte tot de agente haar gordel om had. Van die tijd maakte hij gebruik om te zwaaien.

'De groeten aan ...' Hij twijfelde.

'Magda', vulde Walter aan.

'Magda, juist ja.' Hij stak een duim op en reed weg.

Walter hoopte maar dat Rogers gevoel hem niet in de steek liet.

*

Jan was te moe om de krant te lezen. Hij had hem doorgebladerd, de koppen gescand en was blijven hangen bij het showbizznieuws en de strips. Hij bekeek nog snel de tv-programma's, veel soeps was dat niet. Op zomeravonden programmeerden de zenders oude films en herhalingen van flauwe komische series. Glimlachend volgde hij een aardhommel – *Bombus terrestris* – die de lavendel aanviel. Hij geeuwde en sloot zijn ogen. Hij was tevreden: sinds hij in zijn ligstoel in de tuin lag, had hij zich slechts drie keer aan de molen geërgerd. Hij leerde ermee om te gaan, traag maar zeker, als een huisdier dat leerde braaf te zijn.

Hij bedacht net dat hij een frisse cola lustte, toen de telefoon overging. Catherines voetstappen kwamen dichterbij en het rinkelen van de telefoon werd vervangen door haar vriendelijke 'Hallo, u spreekt met Catherine

Lietaer'. Ze kwam naar buiten en ging zitten op een teak tuinstoel. Ze droeg een wit jurkje. Jan liet zijn blik van haar voeten (in elegante hakjes) naar haar knieën, over haar borsten naar haar gezicht glijden. Het enige wat niet paste bij haar stijlvolle verschijning was de lompe draagbare telefoon.

'Ja', zei ze.

'Ik niet maar mijn man wel', zei ze.

'Waarom vraagt u dat?' vroeg ze.

Jan had er een hekel aan mee te moeten luisteren met telefoongesprekken waarvan hij niets begreep.

'O, daar hadden we nog niet aan gedacht. Inderdaad, mijn man wel, ik niet.'

'De hele nacht is wat overdreven, maar toch zeker ...'

'Nee, ik weet niet ...' zei ze. Ze draaide met haar ogen naar hem.

'Mag ik vragen wat u ...'

'Nee, ik weet niet of nog andere mensen ziek zijn.'

Ze stak haar tong uit en rolde opnieuw met haar ogen.

'Nee, u kunt niet met mijn man spreken.' Jan stak zijn duim omhoog.

'Hij ligt niet in zijn bed. Hij is niet thuis.'

'Nee, u mag mij niet citeren. Ook een goede dag.'

Ze verbrak de verbinding.

'Wat was dat?' vroeg Jan.

Catherine staarde naar de telefoon, alsof ze zelf niet geloofde wat ze gehoord had.

'Dat was een journalist', zei ze. 'Hij vroeg of we last hebben van diarree.'

Jan grinnikte. 'In de komkommertijd smijten ze toch alles in de krant. Is dat nu nieuws?'

'Blijkbaar. Hij vroeg ook of we paté gegeten hadden. Hermans zomerpaté.'

Jan fronste zijn wenkbrauwen. Hij staarde naar de molen. Hij draaide traag.

'Hermans zomerpaté?'

'Jij hebt ervan gegeten, gisteren. Ik niet. En jij hebt diarree, ik niet.'

'Zou dat van de zomerpaté komen?'

Catherine haalde haar schouders op. 'Zou kunnen. Hij vroeg of we nog andere mensen kennen die last hadden van deze', ze pauzeerde even, 'voedselvergiftiging.'

Jan floot tussen zijn tanden.

'Voedselvergiftiging, da's al iets heel anders. Misschien zat het hele dorp vannacht op de pot.'

'Of toch degenen die Hermans zomerpaté lusten.'

Jan pakte de krant beet alsof hij het artikel nu al kon lezen.

*

Roger Hauspie nam een hap van de boterham, maar het smaakte niet. Sinds hij een tijdje geleden had laten vallen dat hij kipsalade lustte, smeerde zijn vrouw niets anders meer op zijn boterhammen. Ondertussen was hij het spuugzat. Hij knabbelde en slikte mechanisch, enkel om de honger te stillen.

'Roger, hier is iemand voor je.' De collega van de receptie piepte binnen in het bureau. Roger zei niets, hij kauwde verder en knikte als teken dat de agent verder kon gaan.

'Het gaat om een aangifte voor zedenfeiten. Laat ik hem binnen?'

Het is niet waar, dacht Roger.

'Laat maar binnen', zuchtte hij. Hij wist niet goed hoe hij zich voelde, blij om van de boterhammen met kipsalade af te zijn, of ontzet omdat de blaaskaak dan toch kwam opdagen. Hij was het nog aan het overpeinzen toen meneer De Graaff binnenkwam.

Roger vouwde de aluminiumfolie dicht en mikte de

resten van zijn middagmaal in de vuilnisbak. Hij stond op. 'Dag meneer De Graaff.'

'Goedemiddag, agent. Hier ben ik dan voor de klacht.'

Roger knikte en wees De Graaff een stoel aan.

'Ik heb voor de zekerheid zelf een staal meegebracht', zei De Graaff en hij reikte Roger een diepvrieszakje aan. Daarin zat een bruine smurrie, en er kleefden gras en boterbloempjes aan de wand. Een stukje kip klom in Rogers slokdarm omhoog. Hij slikte het tijdig weg.

'Dat had u niet hoeven doen, meneer De Graaff. Geeft u het maar, dan breng ik het naar het lab.'

Hij nam het zakje aan en hij probeerde niet te denken aan wat erin heen en weer schoof terwijl hij naar het toilet wandelde. Hij spoelde het zakje weg, bleef even kijken om zeker te zijn dat het verdwenen was en ging terug naar zijn kantoor. Onderweg zuchtte hij drie keer diep.

'Het lab zal uw staal onderzoeken, meneer De Graaff.'

De Graaff leunde zelfvoldaan achterover.

'Neemt u nu mijn getuigenis op in verband met mijn aangifte? Wildplassen en openbare zedenschennis.'

'Zeker, meneer De Graaff.' Roger opende het computerprogramma om aangiftes te registreren. Toen leunde hij over zijn bureau en keek hij de blaaskaak diep in de ogen.

'Voor ik uw getuigenis noteer, wil ik u vragen of u zeker bent of u hiermee wilt doorgaan. Er wordt sowieso een onderzoek gestart. Als we de dader van dit voorval vinden, zal hij voor de rechter moeten verschijnen.'

'Dat is te hopen, ja.'

'Maar dat betekent niet dat hij automatisch veroordeeld wordt. We vermoeden namelijk dat de openbare zedenschennis niet intentioneel was. Begrijpt u wat ik bedoel?'

'Legt u maar eens uit wat u bedoelt.' De Graaff ging recht zitten, met de handen op de knieën.

'Uw zaak is jammer genoeg niet heel erg sterk. De man heeft zijn behoefte gedaan. Het zal u ook opgevallen zijn dat de uitwerpselen, euh, niet erg vast waren. Het lijkt erop dat de man in eerste instantie enkel uit overmacht zijn behoefte wilde doen, en dat u daar per ongeluk getuige van was. Het bewijsmateriaal spreekt in het voordeel van de dader. Als de dader een blanco strafblad heeft, en er zijn geen meldingen meer van andere gevallen van openbare zedenschennis, is de kans groot dat hij wordt vrijgesproken.'

'Vrijgesproken? Dat lijkt me sterk.'

'Bovendien kan hij u in dat geval op zijn beurt aanklagen voor laster en eerroof.'

'Maar dat is de omgekeerde wereld! Waar is het recht van de eerlijke huisvader gebleven?'

'Ik zeg niet dat ik u niet geloof, meneer De Graaff. Ik wil u alleen wijzen op het gevaar als u zich openlijk met de zaak inlaat. Bent u heel zeker dat de man zijn geslachtsdelen met opzet aan uw dochter toonde?'

De Graaff kwam overeind en leunde over het bureau, zo dicht dat Roger de look in zijn adem rook.

'Ik vind het walgelijk dat u die smerige kinderlokker in bescherming neemt, agent. Als u mij niet snel serieus neemt en achter die pervert aan gaat, dan smeer ik dit uit in de media.'

'Het is mijn plicht om u te wijzen op de eventuele gevolgen', zei Roger. Hij draaide zich naar het computerscherm.

'Vertelt u mij precies wat er gebeurd is.'

Hij plaatste zijn vingers op het toetsenbord en begon te tokkelen. Operatie Doofpot mislukt.

*

Er speelde een gelukzalige glimlach op Ivan Camerlyncks gezicht terwijl hij over de gootsteen gebogen naar het bovenste raam van de buren keek. Hij gniffelde nog om het telefoontje dat hij net gekregen had. Magda De Gryse had ondanks haar schijterij niet stilgezeten vandaag. Ivan vertelde de journalist net genoeg om het verhaal geloofwaardig te maken, en net te weinig om geciteerd te worden met lasterlijke uitspraken.

Die dikzak van een slager had het verdiend. Hij was het soort bedrieger die zelfstandigen een slechte naam gaf: worsten en hamburgers zwart verkopen, en de rommel die hij niet verkocht kreeg in zijn paté draaien. En de rest van het dorp de ogen uitsteken met dure auto's en verre reizen. Het zou hem deugd doen de slagers wanpraktijken uitgesmeerd te zien in de krant.

Ivan hoefde zich niet schuldig te voelen. De staat wist precies wat hij verkocht en hoeveel hij verdiende. Meer zelfs, de staat controleerde of hij genoeg goedkope geneesmiddelen verkocht. Voor de ene zelfstandige een bigbrotheroverheid, voor de andere een die alles door de vingers zag, het was gewoon niet eerlijk. En als het systeem niet eerlijk is, is het ieders burgerplicht de gerechtigheid een handje te helpen.

Ivan sloeg het telefoonboek open. Er was waarschijnlijk nog iemand geïnteresseerd in de paté van Herman Bracke. Hij zocht het nummer op en toetste het in op de telefoon in de keuken. Terwijl de wachttoon overging, leunde hij over de gootsteen.

Er was in het raam niets te zien. Al de hele dag geen naakte schoonheid. Morgen misschien.

*

Herman Bracke lag in bed, hoorde het zoemen van de molens en luisterde naar het snurken van Claire. Hij maakte zich zorgen. Elke poging om zijn gedachten te ordenen mislukte. Zijn hoofd was een squashzaal waarin de vermoeidheid zijn gedachten als stuiterballen tegen de muren van zijn hersenpan aan liet botsen. De maatschappelijk werkster van de jeugdrechtbank had Wesley naar huis gestuurd na zijn belofte therapie te volgen bij een psycholoog. Herman zag hem uiteindelijk in de rechtszaak veroordeeld worden tot honderden uren dienstverlening, waardoor zijn studieresultaten nog verslechterden en hij zonder diploma gedoemd was tot jobs voor sukkelaars, terwijl hem toch een prachtige slagerij wachtte. Of de jeugdrechter gaf hem uit handen en de volwassenenrechter, die een voorbeeld wilde stellen, veroordeelde hem tot een onvoorwaardelijke celstraf, waardoor hij verkeerde vrienden maakte in de gevangenis en een leven leidde vol drugs, misdaden en celstraffen.

Het was zijn droom dat zijn zoon de slagerij zou overnemen. Had hij zijn zoon verwaarloosd de laatste jaren? Bracht hij te veel tijd door in de slagerij, waardoor zijn zoon van hem vervreemdde? Nee, dat Wesley nu geen enkele interesse toonde voor het vak, weet Herman aan zijn puberjaren.

Ook over het plotse vegetarisme van zijn zoon maakte hij zich geen zorgen, al was hij er nog steeds woest om. Diep van binnen hield Wesley even hartstochtelijk van vlees als hij, dat zag Herman aan hoe zijn ogen blonken als hij een worst of een entrecote op zijn bord kreeg. Dat wist hij al toen Wesley als kleuter wilde zien hoe papa preskop maakte en pas tevreden was als hij in het atelier zijn eigen potje had gemaakt, met een veel te grote schort om en zijn handjes vol varkensvlees. De liefde voor het vlees zat in zijn genen, in zijn vel, zijn botten, zijn lijf. Wesley was een echte Bracke! Maar met een strafblad kon hij een carrière als zelfstandige vergeten. Bij iemand met een strafblad komt de brave huismoeder geen worsten kopen.

Het oranje licht dat door de gaatjes van het rolluik scheen, ging op en neer samen met zijn ademhaling. Op en neer. In en uit. Hij haalde diep adem en sloot zijn ogen.

Sinds het incident met de Blaashoekpaté verzweeg hij de slapeloosheid voor Claire. Ze begreep niet hoe erg hij onder de vermoeidheid leed. Hij wilde haar niet met nog meer zorgen opzadelen. Haar oplossing lag altijd in de alcoholistenkast, een goede reden om er niet over te beginnen. Bovendien wilde hij geen ruzies uitlokken.

Deze namiddag was hij stiekem naar de dokter gegaan, nadat hij Wesley had teruggebracht van de rechtbank. Na een lang gesprek, waarbij de dokter alleen had geknikt en gemompeld alsof Herman te biechten kwam, stelde hij oordoppen of slaappillen voor, die Herman allebei weigerde. Zijn poging om oordoppen te gebruiken was al dagen eerder mislukt, en slaappillen betekenden het begin van het einde, een doodlopende straat van georganiseerde sufheid waarin hij alleen maar ten onder kon gaan. De dokter had hem nog een brochure over de slaapkliniek in handen gestopt. Herman wist dat de slaapkliniek zijn probleem niet kon verhelpen. In de kliniek zou hij als een lammetje inslapen. Het probleem lag in Blaashoek, langs het kanaal.

Dan hielp zijn eigen remedie nog het beste. Achter in het atelier verborg hij een voorraad energiedrankjes. Als de vermoeidheid opkwam, dronk hij een of twee van die walgelijke blikjes leeg. Dan kon hij er weer een tijdje tegenaan. Het enige nadeel was dat de drankjes hem een beetje kribbig maakten. Hij verdroeg nog minder goed lawaai. Toen de poetsvrouw met haar emmers rammelde, had hij haar de slagerij uit gejaagd. Dan was alles maar een beetje minder proper.

Hij wist dat hij zichzelf voor de gek hield: het drankje was geen oplossing voor de lange termijn. Voorlopig kon het ermee door. Tot na de rechtszaak tegen Wesley zou hij op deze manier zijn slapeloosheid en de vermoeidheid overleven.

# 5

# Vrijdag

De laatste tijd was er niet veel waarvan Claire genoot. Een van de weinige pleziertjes die ze nog kende, naast witte wijn achteroverslaan, was de krant lezen in de rust van de ochtend, met een kopje koffie en een boterham, terwijl de zon de dauw verdampte en een vogeltje langs de vijver trippelde. Zalig vond ze het, in haar eentje het nieuws van gisteren doorbladeren terwijl het nieuws van vandaag op de radio voorbijkabbelde. Wesley lag nog in bed, en Herman meestal ook, al leek zijn slaap-waakritme de laatste tijd danig verstoord. Het gebeurde de laatste dagen meer dan eens dat ze wakker werd als hij midden in de nacht opstond en grommend de trap afdaalde om tv te kijken of in de slagerij te morrelen. Als mannen iets niet konden, was het in stilte een slaapkamer binnenkomen of verlaten. Dat moest blijkbaar altijd gepaard gaan met gestommel, gekreun of een ander lichaamsgeluid, en in het ergste geval, met alle lichten aan te steken en ook aan te laten, alsof ze vanzelf doofden of iemand anders het in hun plaats kwam doen. Wat altijd ook zo was.

Zoals op alle andere dagen bekeek Claire de cover van de krant slechts vluchtig, ze wilde altijd snel de strip op de binnenpagina lezen. Daarom merkte ze het kleine berichtje onder aan de voorpagina niet. DORP OP DE POT stond er, met een foto die genomen was bij de molens langs het Blaashoekkanaal, en een verwijzing naar pagina zeven.

Ze schonk zich een nieuwe kop koffie in terwijl ze nog gniffelde om de strip. Ze bewonderde het talent van de tekenaar om elke dag een grapje te bedenken. Ze nam een hap van de boterham, en de choco smolt op haar tong. Ze smeerde de choco veel dikker dan goed voor haar was. Ze zorgde dat er een laag aan het mes bleef kleven, die ze met zichtbaar genot aflikte. Soms, als ze zeker was dat niemand het zag, doopte ze het mes in de pot en at ze de choco puur. En dan doopte ze het er opnieuw in, zonder het eerst af te wassen. Chocoladepasta was verslavend, en Claire had nu eenmaal een aanleg voor verslavingen.

Ze nam een vierde kop koffie, de voorlaatste van haar ontbijt. Vaak, meestal om de andere dag, dronk ze voor de koffie eerst een halve fles fruitsap, om de nadorst te sussen. Vandaag was dat niet nodig, gisteren had ze na de witte wijn een liter water gedronken en preventief een pijnstiller geslikt, en ze was vroeg onder de wol gekropen.

Haar ogen zweefden over de koppen van de artikels. Onder aan pagina vier las ze een kort stukje over Afrikaanse fortuinzoekers die gestrand waren op een eilandje voor Italië. In een gammele boot waren ze de oceaan over gedobberd. Arme sukkelaars, dacht Claire. Op zo'n moment besefte ze pas hoe goed ze het had. Eigenlijk had ze het niet slecht getroffen met Herman. Als ze hem in het gareel hield, als hij deed wat zij zei, was hij een voorbeeldige echtgenoot. Hij werkte hard en maakte lange dagen. Ze verdienden goed hun brood, al kon het altijd beter. Hermans belabberde commerciële gevoel inspireerde hem vaak tot onnozele ideeën, zoals het ombouwen van hun garage tot een café. Zo onnozel had ze het nog nooit gehoord. Waar hij de Audi wilde parkeren nadat de garage een café werd, daar dacht Herman natuurlijk niet aan. En wat een dwaas idee dat er toeristen zouden afkomen op de molens aan het kanaal. Wat konden de mensen die molens schelen? Nee, voor zakendoen had Herman evenveel talent als zij voor geheelonthouding.

Herman besteedde veel meer aandacht aan de kwaliteit van zijn producten dan aan de mogelijke winst. Zijn Blaashoekpaté was een succes, maar Claire mocht niet denken aan de honderden andere creaties die hij apetrots in de toonbank zette zonder dat iemand erom vroeg. In een dorp als Blaashoek was gewoon al goed genoeg. De klanten hadden geen behoefte aan dure, onbekende charcuterie, net zomin als ze dat hadden aan een driesterrenrestaurant. Worst met appelmoes, dat wilden ze. En paté voor bij de boterham. Claire wist wat de markt wilde, ze voelde het, ze rook het. Commerciële kansen liet ze niet liggen. De waardeloze sauzenkast was Hermans idee, de succesvolle alcoholistenkast de hare.

De laatste tijd leek Herman haar weg meer te volgen. Correcter was: hij stribbelde minder tegen. Hij maakte de simpele vleeswaren die de klanten wilden, hij discussieerde niet meer met de leverancier over het vlees, hij leefde een beetje op de automatische piloot. Op zich was dat prima. Als hij geen stommiteiten meer uithaalde zoals liggen snurken met zijn hoofd in de pot paté en als hij zich een beetje meer verzorgde, want zijn persoonlijke hygiëne liet wat te wensen over, was het zelfs méér dan prima. Waarover had ze te klagen, in vergelijking met die arme stakkers op dat Italiaanse strand?

Over haar ontspoorde zoon? Zijn stommiteit was eenmalig geweest. Ze hield hem strak aan de lijn, hij kwam de hele zomer niet meer buiten. Het was gedaan met profiteren van de afwezigheid van ouderlijke aandacht. Wesley bracht hun kostbare werk niet meer in gevaar.

Hermans woede-uitbarstingen baarden haar wel zorgen. In de schamele momenten dat het vuur opnieuw in zijn ogen schoot, brandde het harder dan ooit. Dan voer hij uit tegen haar of Wesley, of joeg de poetsvrouw uit het atelier terwijl ze amper de vloer had gedweild. Brommend liep hij dan een tijdje te ijsberen, als een wiskundeprofessor die kauwde op een probleem, om plots opnieuw hard op de koteletten in te hakken.

Ze staakte haar gepeins. Op de radio speelde het liedje waarvan ze de titel en de naam van de zanger niet kende, maar dat ze graag neuriede. Ze nam een slok van haar koffie en sloeg pagina zeven van de krant open. Haar oog viel op een grote foto van Blaashoek.

Ze las de kop, las hem nog eens, en verslikte zich.

*

'Dat artikel is verschrikkelijk', zuchtte Jan Lietaer. Hij voelde de adem van Catherine in zijn nek. Met grote ogen las ze mee.

'Niet te geloven', fluisterde ze. 'Arme Herman.'

Jan las de kop opnieuw. PATÉ VEROORZAAKT MASSALE DIARREE, stond er. En als boventitel: DORP OP DE POT. Er werden enkel anonieme getuigen geciteerd. Jan herkende in de woorden Walters vrouw Magda, en apotheker Camerlynck. Van die laatste verwachtte hij zo'n smerige streek. Camerlynck voelde zich verheven boven de andere zelfstandigen van het dorp. Hij nam nooit deel aan de eindejaarsacties van de vereniging voor zelfstandigen, hij was de enige die de plaatselijke wielerkoers niet sponsorde, hij was de enige die geen pannenkoeken kocht van Bries, de plaatselijke jeugdbeweging. Die telde ongeveer vijf leden, en hun pannenkoeken waren niet te vreten. Het ging uiteindelijk om de gedachte.

'En dan nog voor het hele land op pagina zeven', zei Catherine.

Hij keek naar haar om, en nog voor hij van haar nabijheid kon genieten, trok ze zich een beetje terug.

'Komkommertijd, zeker? En dit soort verhalen gaan erin als koek.'

Het artikel was een opeenstapeling van halve waarheden en aangedikte quotes. Jan zocht naar een stukje dat aan Catherines telefoontje te linken was, maar hij vond geen citaat. Wel de zin: 'Ook dierenarts Lietaer en veeboer Pouseele werden ziek van Herman Brackes Blaashoekpaté, die door de inwoners van Blaashoek doorgaans zomerpaté genoemd wordt.'

'Ik doe die kakjournalist een proces aan', zei Jan.

Catherine lachte. Jan meende er spot in te herkennen, wat hem enigszins kwetste.

'Waarom zou je dat doen?'

'Je had 'm gezegd je niet te citeren.'

Catherine boog weer voorover.

'Hij citeert me niet.' Ze klopte hem op de schouder. 'Maar het is lief van je dat je het voor Herman opneemt.'

Jan gromde.

'Dit artikel is niet alleen gemeen, het betekent wellicht ook het einde van de slagerij.'

'Niet overdrijven, Jan. Mensen vergeten snel.'

Ze klopte hem nog eens op de schouder en wandelde naar de deur.

'Wat denk je van wokken vanmiddag?' vroeg ze, met haar hand al op de deurkruk.

'Of een barbecue vanavond?' vroeg hij.

'Nee, daar is het te warm voor.'

'Oké, dan wokken.'

'Tot strakjes', zei ze. Hij keek haar na. Hij vond het fijn, het leek alsof ze weer naar elkaar toe groeiden.

*

Catherine verplichtte zichzelf bij het voorbijrijden niet naar nummer 27 te kijken. Als ze dat deed, lag ze binnen tien minuten in Bienvenues bed. Daarom keek ze strak voor zich. Toch zag ze vanuit haar ooghoeken dat de gordijnen gesloten waren. Ze glimlachte en genoot van de zon op haar gezicht.

Het deed haar deugd nog eens met de fiets te rijden, al had ze de kracht van de wind onderschat. Het was beter geweest als ze de banden harder had opgepompt. Ongelooflijk, ze woonde amper honderd meter van de slagerij, en ze ging er altijd met de auto naartoe. Haar fiets stond al jaren te verkommeren in een hoekje van de garage. Ze nam zich voor wat meer langs het kanaal te fietsen. En misschien was het een goed idee haar bezoekjes aan Bienvenue ook met de fiets te doen. Die kon ze in de gang van de sociale woning zetten, in plaats van haar auto uit de buurt te parkeren.

Het licht brandde bij de Brackes. Het getuigde van lef, het artikel in de krant gaf hun genoeg reden om de slagerij een hele tijd te sluiten. Ze plaatste haar fiets voor de etalage. De winkel was leeg. Herman kon alle steun gebruiken, en Catherine was van plan haar deeltje daarvan bij te dragen.

*

Jan las snel het showbizznieuws en de strips – Garfield was weer zalig – en sloot de krant. Arme Herman, dacht hij, terwijl door het grote raam een zonovergoten dag hem naar buiten probeerde te lokken voor schietoefeningen. Graag, dacht Jan, maar de boog kan niet altijd ontspannen staan, af en toe moest er ook wat werk verzet worden.

Hij stond op, rechtte zijn rug en nam het stapeltje brieven van het tafeltje naast het raam. Hij legde ze terug, controleerde of er nieuwe post in de brievenbus zat, en toen dat niet zo bleek te zijn, pakte hij het stapeltje opnieuw op. Hij bladerde erdoorheen en kwam weer bij de brieven voor nummer 27. Ze waren allebei gericht aan de Afrikaan. NIAY BAJI BIENVENUE, stond er in blokletters op de eerste envelop. De afzender was een maatschappij voor mobiele telefonie. De naam van de Afrikaan, afgekort tot Bienvenue, was op de tweede envelop in een rond, vrouwelijk handschrift geschreven. Jan zou de brieven straks bij 27 door de bus gooien, hij wilde eerst nog een kopje koffie drinken. Niets mooiers 's morgens dan met een kopje koffie naar de tuin staan staren. Als er tenminste niet van die vreselijke schaduwen ... Nee, niet doen. Hij nam een koffiepad uit de doos, ademde diep de geur van gemalen koffiebonen in en legde de pad in het apparaat, dat pruttelend het water opwarmde.

Terwijl hij wachtte, haalde hij de brieven uit de woonkamer. Hij legde de twee voor de Afrikaan apart en scheurde eerst de facturen open met de wijsvinger van zijn rechterhand. Zijn eerste schulden betroffen internet en digitale televisie: 65 euro. Voor die prijs mocht het internet wat sneller draaien, dacht Jan. Om van de storingen op de digitale tv maar te zwijgen. Vervolgens een aanmaning van de gemeente voor het huisvuil. Pffft. En ook de marketingafdeling van de krant kwam om geld jengelen. Was het abonnement weer bijna verlopen? Even overviel hem het idee om het abonnement op te zeggen, met een kwade brief dat hij walgde van het artikel waarin zijn dorpsgenoot aan de schandpaal genageld werd. Dat zoiets onbetamelijk was – dat woord zou hij gebruiken, onbetamelijk – en de journalistieke deontologie onwaardig. Maar toen besefte hij dat de krant een onmisbaar onderdeel van zijn ochtendritueel uitmaakte, en hij legde de factuur netjes bij de andere twee. In de laatste envelop vond hij een uitnodiging voor de opendeurdag van de Peugeot-garage in de stad. Catherine had vorig jaar haar 207 CC gekocht. Dachten die mannen nu echt dat hij weer een nieuwe kar wilde?

De koffie! Hij was zo verzonken in de briefwisseling, dat hij de koffie vergat. Hij zwierde de uitnodiging op de keukentafel en nam de kop van het apparaat. Hij nam er voorzichtig een slok van. De warmte verbaasde hem. Hij dronk de koffie in drie teugen uit, zijn blik gericht op de schaduwen die over het gras gleden. Zoef zoef zoef. Hij zuchtte, zette het kopje in de wasbak, en nam de brieven voor de Afrikaan.

Pas nu herkende hij de envelop met het vrouwelijke handschrift. Er lag een stapeltje identieke enveloppen in zijn bureau. Maar wat hem pas echt een rilling ontlokte, nu hij beter op het handschrift lette, was de letter B. De krul waarmee de letter begon, kende hij van talloze verjaardagskaarten, nieuwjaarswensen en geboortekaartjes. Ja, hij was er zeker van, de B van Bienvenue was een B van Catherine. Hij slikte. De gezelligheid die in de keuken hing, verdween. Alsof een wolk voor de zon schoof.

Hij moest rustig blijven. Als vrijwilligster bij de gemeente kwam Catherine soms in contact met asielzoekers. Misschien nodigde ze de Afrikaan uit voor een of andere activiteit. Had ze niet gezegd dat er binnenkort een barbecue werd georganiseerd? En stond er ook niet een benefietactie op het programma, waarbij de gemeente asielzoekers betrok om ze te integreren in de gemeenschap?

Waarom gebruikte ze dan zijn voornaam? Of was het zijn familienaam? Jan kon de twee niet uit elkaar halen bij Afrikanen. Hoe dan ook, waarom schreef ze alleen Bienvenue? Het deed een vriendschap vermoeden. Of meer dan een vriendschap.

Hij rook aan de envelop. Een vluchtig parfum. Hij hield de envelop omhoog tegen het zonlicht. Er zat een briefje in, maar ook iets kleiners, een rechthoekige, zwarte vlek tussen het doorschijnende papier. Het formaat van een foto.

Jan onderdrukte de neiging om de brief open te scheuren. Als de inhoud onschuldig was, kon hij de brief niet meer ongemerkt posten. Hij moest de envelop openmaken zonder dat het te zien was.

De waterketel. Sinds ze het koffieapparaat hadden, had hij hem niet meer gezien. Terwijl hij de lade onder de gootsteen opende, hoopte hij dat Catherine hem niet had weggedaan. Misschien stond hij op het fornuis van die Bienvenue.

Maar nee, daar zag hij hem al. Hij vulde de ketel met water en plaatste hem op de keramische kookplaat. Hij moest de brief gelezen hebben voor Catherine thuiskwam. Als ze hem betrapte, was hij binnen een week gescheiden. Hoelang duurde het voor dat water kookte? Een eeuwigheid blijkbaar. Hij ijsbeerde langs het keukenmeubel en hield de envelop nog enkele keren tegen het zonlicht. Hij schudde ermee, alsof dat hielp.

Er klonk een zacht gerommel in de ketel. Wanneer was Catherine vertrokken? Tien minuten geleden? Een half uur? Hij rook nog eens aan de envelop. Ja, dat parfum kende hij. Had ze dat er met opzet op gespoten, of was het een geur die ondertussen gewoon rond die enveloppen hing? Hij hield zijn hand op een centimeter van de zijkant van de waterketel. Lauw.

Hij drentelde rond de tafel en bekeek de Peugeot-uitnodiging. Hoewel het hem geen barst interesseerde, las hij het adres, de datum, het uur, en de slogan: 'Ontdek onze nieuwe modellen!' Op de foto poseerde een trotse garagist, tegen een achtergrond van wapperende vlaggen, naast de populairste modellen. Twee kortgerokte blonde vrouwen leunden tegen de auto's. Zij moesten de slogan een grappige bijklank geven. Knappe vrouwen, maar niet zo oogverblindend als Catherine.

Nog eens bekeek hij het handschrift op de envelop voor Bienvenue. Was hij helemaal zeker dat Catherine de naam schreef? Veel vrouwen hadden een rond en krullend handschrift. De brief kon van iedereen zijn. Hij bestudeerde de getallen. Nee, de 2 en de 7 herkende hij ook. Verdomme toch!

Een gebruis trok zijn aandacht. Hij haastte zich naar het fornuis en hield de brief in de stoom. Na een minuut trok hij aan de lip van de envelop, maar de lijm was nog niet zacht geworden. Jan telde vier minuten af. Hij draaide de brief af en toe, als een worstje boven een kampvuur. Toen probeerde hij het opnieuw. De lip gaf mee. Jan zette de kookplaat af. Met het hart in de keel leegde hij de envelop op de keukentafel.

Hij hoefde de brief niet te lezen. Het eerste wat uit de envelop schoof, was een foto van Catherine. Ze droeg het groene jurkje dat ze enkele dagen geleden ook aanhad. Alleen had ze het bovenstukje laten zakken, en toonde ze ondeugend haar borsten aan de camera.

*

'Dag, Herman.'

De slagerij was leeg, stil en koel, als een graftombe. Herman hief zijn gezicht op, maar de bloeddoorlopen ogen zagen haar niet. Hij bleef gewoon staan, alsof ze een verschijning uit een droom was.

'Het spijt me heel erg van dat artikel, Herman. Het is zo oneerlijk en gemeen.'

Herman zuchtte. Hij haalde de schouders op.

'Ze hebben gelijk', zei hij.

'Wie heeft er gelijk?' vroeg Catherine. Ze voelde zich ongemakkelijk.

'De kranten. Ze hebben gelijk dat de paté slecht was. Ik had hem nooit mogen verkopen.'

Ze wist niet meer wat te zeggen.

'Zoiets kan iedereen overkomen. Ze hoeven het daarom nog niet op pagina 7 van de krant te zetten.'

'Het spijt me dat Jan ziek is geworden. Heeft hij er lang last van gehad?'

Nu was het haar beurt om de schouders op te halen.

'Dat viel mee, hoor, Herman. Een beetje overgeven, een beetje diarree, zoals bij elke ...' Ze stokte.

'Voedselvergiftiging', vulde Herman aan.

Catherine bloosde.

'Ik had die paté nooit mogen verkopen. Jarenlang werk ik aan een goede naam, en in één dag wordt het weggewist. Alles om zeep.'

'Mensen vergeten snel. Binnen een week is iedereen met vakantie, en daarna komt er weer iets nieuws waarover mensen zich druk maken. Het waait wel over.'

Herman glimlachte als een ter dood veroordeelde. Hij was uitgeput.

'Ik hecht veel belang aan de kwaliteit van mijn vlees, Catherine. Ik werk alleen met de beste producten, en daarom komt dit extra hard aan. Vooral omdat ik weet dat ik die paté niet had mogen verkopen.'

'Ik vind het moedig dat je de winkel openhoudt', zei ze.

'Ik vind het moedig dat je iets komt kopen', kaatste Herman terug.

'Geef me dan maar snel twee kippenborsten', zei Catherine. Ze knipoogde. Herman reageerde niet. Catherine vroeg zich af wanneer zijn zenuwen zouden knappen.

'Twee kippenborsten', fluisterde Herman terwijl hij ze uit de toonbank haalde.

'Waar is Claire trouwens?' vroeg Catherine. Ze besefte te laat dat ze misschien opnieuw een gevoelige snaar raakte.

'Naar de advocaat. Ze wil een klacht indienen tegen

de krant, en tegen de onbekenden die het verhaal gelanceerd hebben.'

'Groot gelijk', zei Catherine. Herman pakte de kippenborsten in en noemde de prijs. Hij eindigde daarbij in een vragende toon waarvan Catherine vroeger begreep dat hij verwachtte dat ze nog iets bestelde. Nu klonk het alsof hij zich erover verwonderde dat ze betaalde voor zijn vlees.

'Dat is alles', zei Catherine. Herman stak het pakje in een plastic zak, en het geritsel maakte de stilte die tussen hen hing nog ondraaglijker. Catherine betaalde, bedankte hem snel en sloeg de deur achter zich dicht. Er was niemand binnengekomen toen ze in de winkel stond, en het leek erop dat er niemand meer zou komen.

*

Jan zat in de luie stoel, met op de salontafel de foto. De brief, waarin ze in gebrekkig Frans uit de doeken deed hoe erg ze Bienvenue miste, lag erop en bedekte net haar borsten. Jan had het altijd al geweten. Een vrouw als Catherine bleef niet haar leven lang bij een man als hij. Daarvoor was ze te verfijnd en te aantrekkelijk voor mannen met een indrukwekkendere carrière of fysieke verschijning dan hij.

Hij had het altijd al geweten, en toch was hij verrast. Meer zelfs, hij was geschokt. Niet door het feit dat ze hem bedroog. Dat zou ooit gebeurd zijn, hiervoor had hij gevreesd vanaf het moment dat hij de ring rond haar vinger schoof. Waarvan hij zijn maag voelde verschrompelen als een lege chipszak, was de persoon met wie ze hem bedroog. Hij had verwacht dat ze hem zou verlaten voor een chirurg, een topatleet of een politicus met een parlementair mandaat. Maar een asielzoeker, een man met de naam van een deurmat?

136

Als hij zich voorstelde hoe die man haar aanraakte, hoe hij haar kuste, hoe hij dat groene jurkje van haar lichaam pelde, moest hij kokhalzen, alsof hij een hele pot bedorven Blaashoekpaté naar binnen had gewerkt. Hij mocht er niet aan denken, het was te laat daarvoor. Alle smerige fantasieën die zich aan hem opdrongen, hadden zich afgespeeld in het huisje op nog geen honderd meter van zijn eigen voordeur. Gedane zaken nemen geen keer, zei het spreekwoord. Hij moest vooruitdenken, aan de toekomst, aan hoe zijn leven verder moest ná Catherine.

Die beslommeringen waren voor later. Nu hij Catherines sleutel de deur open hoorde draaien, verkrampte hij. Hij zette zich schrap voor wat er zou komen.

\*

Ze zag onmiddellijk dat er iets aan de hand was. Hij zat in de luie stoel als een terminale patiënt, gespannen en met zijn armen over elkaar. Hij keek van haar naar de salontafel, en toen ze zag wat erop lag, wist ze dat haar leven met hem voorbij was.

'Je hoeft niets uit te leggen', zei hij.

'Jan, ik ...' Hij stak zijn hand omhoog.

'Je hoeft niets uit te leggen. Ik wil alleen dat je je spullen pakt en weggaat.'

'Kunnen we dit niet uitpraten?' Ze kwam naar de zithoek en ging tegenover hem zitten. Ze probeerde het stijlvol te doen, ook al bibberden haar benen. Ze legde het zakje met de kippenborsten naast zich neer.

'Er valt niets te praten, Catherine. Wat zou je willen zeggen? Dat het je spijt? Dat het niet je bedoeling was me te kwetsen? Wat heeft dat nog voor zin? Natuurlijk ben ik gekwetst, natuurlijk heb je geen spijt. Of misschien schaam je je omdat ik er op zo'n knullige manier achter ben gekomen.'

'Jan, ik ...'

'Ik had altijd gedacht dat je me ging verlaten, vroeg of laat. Al is het later geworden dan gedacht, uiteindelijk blijft het een verrassing. Een behoorlijke slag in mijn gezicht.'

'Laat me het dan uitleggen. Alsjeblieft.'

'Er valt helemaal niets uit te leggen. Wat kan het me schelen hoe je hem hebt ontmoet, hoelang je al met hem bezig bent of wat je in hem aantrekt? Het is een neger zonder geld, ik kan me goed genoeg inbeelden waarom je voor hem viel.' Hij lachte schamper.

'Het was niet voor de seks', zei ze. Niet alleen voor de seks, had ze moeten zeggen, wilde ze eerlijk zijn. Hij wuifde haar woorden weg.

'Ik zeg je dat het me niet interesseert. Mijn moeder had uiteindelijk gelijk, dat je geen partij voor mij bent.'

'Je moeder', zuchtte Catherine en ze sloeg haar armen in de lucht. 'Als je nu eens wat minder naar je moeder ...'

'Nee', schreeuwde hij. 'Had ik maar béter naar haar geluisterd! Dan zat ik hier nu niet met een overspelige vrouw!' De aders zwollen in zijn rode nek. Catherine wilde niet meegesleurd worden in een welles-nietesspelletje.

'Wat wil je dan dat er gebeurt?' vroeg ze.

Zijn ogen schoten vuur.

'Ik wil dat je vertrekt, vandaag nog. Ik kan je niet meer zien.' Hij nam de brief en de foto van de salontafel en gooide ze in haar gezicht. 'En neem dit mee.'

'Als dat is wat je wilt.'

'Ja, dat is wat ik wil. En je hoeft je geen zorgen te maken, je zult je deel van mijn geld wel krijgen.'

'Ik wil je geld helemaal niet.' Ze stond op.

Toen ze de deur achter zich dichttrok om boven haar kleren te gaan inpakken, hoorde ze hem fluisteren vanuit de woonkamer.

'Vuile parasiet, vuile hoer.'

Haar gestommel irriteerde hem, het gedempte snikken irriteerde hem, het feit dat ze zo snel toegaf irriteerde hem. Hij wilde ruziemaken, hij wilde haar uitschelden, hij wilde haar horen smeken en bedelen en huilen, hier in de woonkamer. Waarna hij haar uiteindelijk niet zou vergeven, maar de deur wijzen. Hun gesprek had nog geen twee minuten geduurd, en nu pakte ze haar koffers om bij die neger in te trekken. Alsof ze er zin in had, alsof ze ernaar uitkeek. Ze hunkerde om bij hem weg te zijn, om zich te laten berijden door dat wilde beest. Ze had dit hele gedoe in scène gezet, omdat ze het niet durfde te vertellen. Ze wilde dat hij het ontdekte en dat hij haar het huis uit gooide zodat hij de slechterik was en zij zijn bankrekening kon plunderen. Van haar verhaaltje dat ze zijn geld niet wilde, geloofde hij geen woord. Hij zuchtte. Hij durfde dit niet aan zijn moeder te vertellen. Hij had erg veel zin in bier.

Toen ging de deur van de woonkamer open. De huid rond haar ogen was rood en gezwollen. Ze had zich omgekleed, ze droeg oude kleren, stijlloos.

'Wat zie jij eruit', beet Jan.

'Alles wat jij betaald hebt, laat ik hier.' Ze stond er als een willoos slachtoffer bij. Ze glimlachte wrang. 'En ik vertrek met de fiets.' De deur ging dicht.

'Jij ondankbare slet!' Jan beet op zijn tanden en balde zijn vuisten.

Herman boende de toonbank voor de derde keer. Sinds Catherine Lietaer was langsgekomen, niet alleen een mooie vrouw maar ook eentje met een hart van goud, had de bel van de deur niet meer gerinkeld. Hij verlangde naar Claires thuiskomst, dan zou hij terug naar het atelier gaan en de koeling helemaal schoonmaken. Alles moest eruit. Niet alleen de twee potten bedorven paté, hij wilde al het vlees weggooien.

Tabula rasa. Met een schone lei herbeginnen. Claire zou hem vervloeken, hem verwijten dat hij spilziek was en de waarde van geld niet kende. Zo vaak had ze tegen hem geleuterd dat hij te veel aandacht besteedde aan de kwaliteit van het vlees, terwijl het toch allemaal ging om zo veel mogelijk geld over te houden, want dat ze als zelfstandigen niet moesten rekenen op de steun van de staat. En dat was allemaal waar, maar nu kon Herman zijn geloofwaardigheid enkel terugwinnen als hij nog meer aandacht besteedde aan de kwaliteit.

Hij besefte dat dit zijn laatste kans was. Hij geloofde niet wat Catherine zei, dat mensen vergeten en vergeven. Van zichzelf vergeten mensen de slechte dingen, van een ander alleen de goede. Als je een fout maakt, dan krijg je die jaren later nog in je gezicht gegooid. Hij kon daarom zijn reputatie enkel weer vestigen door nog meer te werken, nog betere paté te maken, de klanten nog beter te bedienen.

Herman haalde een blikje Red Bull van onder de toonbank. Het vijfde van de dag. Een uur geleden zat hij nog in zak en as. Zelfmoord leek toen de enige oplossing. Nu, vijf Red Bulls later, zag hij het leven weer zitten. Hij voelde zich opgeladen. Hij zou zich niet laten inpakken, Herman Bracke gaf er niet zo snel de brui aan. Als ze met iemands kloten wilden spelen, dan niet meer met de zijne! Niet meer!

Hij kon beter niet wachten tot Claire thuis was om aan de grote schoonmaak te beginnen. Hij kon haar beter voor voldongen feiten stellen. Eerst wilde hij de koelcel reinigen, daarna de vloer dweilen en het atelier schrobben – de laatste dagen had hij iets te vaak de poetsvrouw buiten gejaagd – en tot slot zou hij enkele nieuwe potten heerlijke paté maken. En ook de naam zou veranderen: vanaf vandaag heette het Brackes Nieuwe Blaashoekpaté. Of nee, Brackes Zomerpaté. Of nog beter: Hermans Molenpaté! Die rotmolens zouden zijn humeur niet meer bederven, integendeel, ze werden zijn handelsmerk. Hermans Molenpaté, dat was een goede naam voor een nieuwe start! Herman grinnikte.

Hij wilde zich net naar de deur van het atelier draaien, toen de deurbel rinkelde. Het was niet de oude mevrouw Deknudt die naar binnen schuifelde, zoals hij verwachtte. Het was een man die hij vijfenveertig of zo schatte. Onder de oksels van zijn bruine hemd zaten grote zweetplekken. Het hemd stak in een grijze broek. De fletse ogen van de man zaten in een uitgezakt gezicht en zijn gelaatsuitdrukking verried dat hij liever ergens ver hiervandaan was geweest.

Herman kende de man niet. Dat verontrustte hem.

'Goeiemiddag, meneer', zei hij.

'Goeiemiddag', zei de man op een manier alsof hij dat vaak moest zeggen, en het niet leuk vond. Een vertegenwoordiger, dacht Herman.

'Bent u Herman Bracke, de eigenaar van Slagerij Herman?'

'Inderdaad, daar spreekt u mee', zei Herman.

'Mijn naam is Freddy Ghekiere. Ik ben inspecteur van het federaal agentschap voor de veiligheid van de voedselketen.'

Herman knikte. Ondertussen dacht hij aan de bedorven paté in de koelcel. Zijn handen trilden. Zijn schouderbladen jeukten en achter zijn ogen brandde een plotse, felle pijn. Hij hoorde een gezoem, als van een stationair draaiende auto.

'Ik kreeg gisteren een telefoontje met een klacht over een van uw voedingsmiddelen.'

Herman dacht aan de vloer van het atelier, die dringend een schrobbeurt nodig had. De pijn veroverde zijn hoofd en verdoofde zijn gedachten. Hij kneep zijn ogen dicht en greep naar het hakblok. Het gezoem klonk nu als een stationair draaiende truck.

'En vanochtend stond dit in de krant.' Inspecteur Ghekiere hield de pagina omhoog en Herman keek tussen zijn wimpers naar de foto van Blaashoek. Boven de daken zag je de molens uitsteken. De monsters.

'Ik denk dat een inspectie op zijn plaats is, niet?'

Herman gromde. De jeuk in zijn schouders waaierde uit over zijn borst en deed zijn hart kloppen als een gek. Hij balde zijn vuisten.

'Kan ik eerst uw werkplaats bekijken?'

Werkplaats, zo wilde hij zijn atelier nooit genoemd horen worden. Tien stationair draaiende trucks gonsden in zijn hoofd.

'Meneer Bracke, hoort u mij? Kan ik uw werkpla...'

'Nee!'

Herman gilde terwijl het hakmes door de lucht kliefde. In die noodlottige seconde wilde hij het terug vastgrijpen en alles ongedaan maken. Hij kon alleen machteloos toekijken hoe het mes zich in de schedel van Freddy Ghekiere boorde. Het maakte niet meer lawaai dan wanneer hij een kotelet hakte. Bloed en hersenen spatten op de vloer. Freddy Ghekiere klapte ineen en sloeg tegen de toonbank, waar van zijn laatste adem enkel de damp op het glas overbleef.

*

Wes hoorde een kreet en schrok. Hij klikte het internet uit, stak zijn lul terug in zijn broek en ritste hem dicht. De schreeuw kwam amper tien minuten nadat de bel van de slagerij voor de derde keer gerinkeld had.

Vanochtend was er al een kabaal van jewelste geweest. Die had zijn moeder veroorzaakt, zoals ze wel vaker deed. Alleen ging het deze ochtend bijzonder hard. Geroep en getier, en tot zijn verbazing eens niet omdat zijn pa iets misdaan had. Deze keer had iemand anders het verbruid. Kort na haar woedeaanval was ze vertrokken naar de stad, volgens zijn pa naar de advocaat. Voor een scheiding, had Wes gevraagd. Zijn pa had niet gelachen.

Was ma terug van de advocaat? Was ma terug en had ze al de aanval geopend? Wes hoopte dat Machteld niet zo'n moeilijke vrouw werd. Nu, je kweekte ze ook een beetje zelf natuurlijk, zijn vader had het zelf gezocht met zijn ruggengraat van rijstpap.

Wes hield de adem in. Hij hoorde niets. Als ma was thuisgekomen, dan had hij haar allang de deur van de woonkamer horen dichtslaan, en daarna de deur van de keuken, gevolgd door het ploppen van een kurk.

Een nieuwe langgerekte gil, als een jammerklacht. Alle haartjes op Wes' lijf gingen rechtstaan. Man, nu werd hij echt bang. Wes keek naar de poster boven de computer. Batman had als kind gezien hoe zijn ouders werden vermoord. Wes kon een verwijt in de donkere ogen lezen: MISSCHIEN LIGT JE VADER DAARBENEDEN TE VECHTEN VOOR ZIJN LEVEN, EN JIJ BLIJFT HIER EEN BEETJE OP JE KAMER ZITTEN KNIEZEN, ZIELIGE LULLENRUKKER.

Wes kuchte en slikte. Hij stond op en vervloekte zichzelf voor de bibber die zijn benen verlamde. Hij vervloekte zichzelf nog eens, want om in alle rust te kunnen rukken, had hij de deur op slot gedaan. Met zijn tong tussen zijn lippen draaide hij de sleutel om. De deur ging open met een schril gepiep. Als er een moordenaar in huis was, had hij dat gepiep vast en zeker gehoord.

Op de gang kraakte de parketvloer luider dan ooit. Hij zette muizenstapjes en leunde over de reling van de trap. Niets te zien. Hij negeerde de stem in zijn hoofd die zei dat hij in dit tempo binnen een jaar nog niet beneden stond.

Wes spitste zijn oren. Hij hoorde een zacht gebons. Het duurde enkele seconden voor hij besefte dat het zijn eigen hartslag was. Hij stapte op de eerste traptrede. Hij kraakte. Wes nam drie treden in één keer. Vanaf de overloop waar de trap een bocht maakte naar beneden, speurde hij de gang af. Niets te zien. Geen moordenaar. Geen vader. Hij ging de trap verder af. Hij hoorde een zacht geluid.

Hij sloop de gang door. De deur van de slagerij maakte hij nog nooit zo stil open. Zweet prikte in zijn ogen. Hij veegde het weg. Een druppel zout in zijn oog kon de dood betekenen.

'Pa?'

Hij zette nog een stap.

Overal was bloed. Bloed op de toonbank. Bloed op de muur. Bloed op de alcoholistenkast. Bloed op de vloer. En daar middenin: zijn vader, jammerend in een schort vol bloed, gebogen over een man met een hakmes in de kop. Er gulpte iets grijs over het gezicht van de man.

'Pa?'

Zijn vader keek op. Bloed op zijn wangen, bloed in zijn haar. Zijn hoofd trilde, zijn ogen puilden uit.

'Help me! Help me dan toch!'

*

Roger Hauspie stak het laatste stukje van het broodje Milano in zijn mond alsof het het heerlijkste hapje was dat hij ooit at. In de afvalemmer glinsterde de aluminiumfolie rond de kipsaladeboterhammen. Het licht speelde erop, het was een bewijsstuk van een misdaad dat zijn aandacht wilde trekken.

Hij slikte de hap door en nam een slok van het blikje cola. Was de directeur er al? Ja, door het raampje van de deur zag hij licht op een kale schedel blinken. Hij adem-de diep in, griste de krant van het bureau en stapte op het kantoor van de directeur af. Operatie Doofpot: laatste kans. Hij klopte aan en de directeur keek verward op van zijn scherm.

'Ah, Roger. Waarmee kan ik je helpen?'

'Frank, ik zit met een nogal gevoelig dossier', begon Roger. De directeur stak zijn handen in de lucht.

'Binnen twee uur ga ik met vakantie. Waag het niet om me nu nog op te zadelen met moeilijke dossiers.' Hij lachte, maar even goed was het slecht nieuws. Door een slechte timing mocht je het bij de directeur bijna altijd vergeten. Toch legde Roger de krant op het bureau. De directeur las de pagina, en fronste toen. Roger staarde naar de borstelige wenkbrauwen, die door de gladde schedel een nog prominentere plaats innamen in het gezicht.

'Gisteren heeft een voedselvergiftiging Blaashoek ge-troffen', zei Roger. 'Zowat iedereen had last van diarree.'

De directeur keek geamuseerd. Een monkellachje speelde rond zijn lippen. Roger zag zijn kansen stijgen.

'Ook de postbode, Walter De Gryse, had erge diarree. Toch ging hij werken.'

'Sterk', zei de directeur. 'Dat kom je niet vaak meer te-gen, mensen met zo'n werkethos.' Hij knipoogde.

'Misschien was hij toch beter thuisgebleven. Het is namelijk zo ...' Roger schoof een stoel dichterbij en ging erop zitten. De directeur keek alsof hij zijn boekje daar-mee te buiten ging. Toen boog hij voorover als teken dat Roger moest doorgaan.

'Op weg naar Blaashoek kreeg Walter een aanval van diarree. Hij kon het niet meer ophouden en heeft zijn behoefte gedaan langs het kanaal.'

'Langs het kanaal?'

'Op de helling van de oever. Bij de aanlegsteiger voor de boten.'

De wenkbrauwen trokken samen, als harige slakken die wilden paren.

'Ah, daar. Toch niet de ideale plaats om te gaan kakken, lijkt me.'

'Wel, nee. Gisteren deed een man aangifte van openbare zedenschennis. Hij beweert dat zijn dochter getuige was van de bezigheden van Walter De Gryse. Hij beweert dat de postbode met opzet zijn genitaliën toonde aan het kind.'

De directeur zuchtte. 'Hoe oud is dat kind?'

'Zes jaar.'

Hij zuchtte nog eens.

'Ken je die postbode persoonlijk?'

Roger voelde hoe hij begon te blozen. Hij knikte.

'Ik wil dat je het dossier doorgeeft aan het zorgteam. Zij behandelen dit soort zaken', zei de directeur.

'Ja, maar ...'

'Roger, die postbode heeft gekakt langs het kanaal. Bovendien heeft hij zijn fluit getoond aan dat meisje.'

'Hij heeft 'm niet getoo...'

'Met opzet of niet met opzet, het meisje heeft zijn lul gezien, ja toch?'

'Dat zegt de vader.'

'Je bent er persoonlijk bij betrokken, Roger. Je kent die man. Je moet deze zaak doorgeven aan het zorgteam. Zij zullen het kind ondervragen. En het parket beslist wat er gebeurt. Punt uit. Je moet opletten met dit soort zaken. Je gaat toch niet alle misdaden van mensen die je kent onder de mat schuiven? De collega's zullen het uitzoeken, en als jouw postbode onschuldig is, dan spreekt de rechter hem vrij.'

De directeur reikte hem het krantenartikel terug aan. Snelle voetstappen naderden in de gang. In het deurgat verscheen Huyghe, met rood aangelopen gezicht.

'Er is een moord gepleegd', hijgde ze.

De directeur sprong op. 'Waar?'

'In Blaashoek', zei ze. Nu keek ze naar Roger, die het bloed uit zijn gezicht voelde wegtrekken. 'Bij Slagerij Herman.'

*

Over wat Wesley Bracke en de politieagenten te zien kregen in Hermans slagerij, deden al snel de wildste geruchten de ronde. Hoewel slechts vier mensen het bloedbad zagen – Herman, Wesley en twee technici van de politie die alles op foto en video vastlegden – wisten de kwaliteitskranten te melden dat Freddy Ghekiere aan een vleeshaak hing en met een bijl was bewerkt. Volgens de meer populaire kranten beende Herman hem uit, als een schaap in het slachthuis. De televisieverslaggevers vertelden dat Herman Freddy professioneel in stukken hakte, wat je kon verwachten van een slager. De pittigste details waren te vinden in het roddelcircuit in de stad en op allerlei internetfora, waar plastisch werd uiteengedaan hoe Herman de arme inspecteur levend aan een vleeshaak spietste, hem ontdeed van zijn ingewanden, om vervolgens eerst de armen en daarna de benen af te hakken. Herman was van plan, aldus mensen die het uit goede bron hadden vernomen, om de moord te verdoezelen door het vlees van de inspecteur te verwerken tot paté. De auto van het slachtoffer wilde hij in een bos in brand steken. Hoe al deze goed ingelichte bronnen aan hun verhalen kwamen, bleef een mysterie.

Nochtans was het enige wat de procureur wilde toegeven dat het slachtoffer 'ernstig toegetakeld' was. Aan zo'n droog commentaar had het publiek niet genoeg. Dus maakte het er zelf maar wat van.

De moord op Freddy Ghekiere had ook gevolgen voor de andere bewoners van Blaashoek. Om te beginnen zag zoon Wesley zijn aanvaring met grootvader Maes uitgesmeerd worden in de pers, als een mogelijke aanleiding voor de plotse woedeaanval van vader Bracke. Wat precies het gevolg en de oorzaak was, het geweld van de vader of het geweld van de zoon, zorgde nog jarenlang voor discussie onder psychologen.

Voor Walter De Gryse betekende de moord dat zijn openbare zedenschennis uit de pers bleef. Als iemand aan een vleeshaak wordt vermoord, is er geen plaats meer voor een blote piemel. Dat spreekt voor zich. Het zorgteam van de lokale politie liet het dossier niet liggen, maar na het weekend was het oud nieuws.

Zoals het zo vaak gaat, waren de ergste gevolgen voor iemand die er eigenlijk niks mee te maken had. Sommige mensen zijn geboren voor het ongeluk, en Saskia Maes was zo iemand. Andere mensen graven een kuil voor iemand anders, en vallen er zelf in. Magda De Gryse was zo iemand. De weerman had onweer voorspeld voor zondag. In Blaashoek beloofde het zaterdag al te stormen.

# 6

# Zaterdag

Saskia Maes werd gewekt door nattigheid en gesmak. Ze opende haar rechteroog en zag de dikke snorharen van een natte snoet. De snoet bewoog dichter naar haar toe en likte nu over haar lippen. Ze duwde de kop van haar vandaan.

'Bah, Zeppos, dat mag je niet doen!'

De hond blafte vrolijk, plaatste zijn voorpoten op haar borst en likte haar opnieuw. Ze liet hem begaan.

'Ja, ja, ik zie jou ook graag.'

Ze schoof het bed uit, want er was geen andere manier om Zeppos' enthousiasme te temperen. Ze wreef de slaap uit haar ogen en probeerde daarmee ook de nare gedachten weg te wrijven die haar de hele nacht parten hadden gespeeld. Rond drie uur was ze ontwaakt uit een droom waarin ze voor de rechtbank moest verschijnen op beschuldiging van grootvadermoord. De rechtbank zat vol jonge vrouwelijke agenten, en de rechter, een norse, oude boer, kende ze nog uit haar jeugd. Zeppos verdedigde haar zonder succes omdat niemand wijs geraakte uit zijn geblaf. Alleen Saskia begreep hem, en ze vond zijn verdediging ontroerend en doordacht. De rechter en het publiek lachten hem vierkant uit. Zonder veel poeha, zoals oude boeren dat doen, veroordeelde de rechter haar ter dood. Net toen het mes van de guillotine haar nekwervels zou verbrijzelen, schrok ze wakker.

Ze gleed in haar pantoffels en luisterde. Zeppos spitste zijn oren. Uit het appartement van Bienvenue had al de hele nacht geschuifel en gepraat geklonken. Na de vreselijke droom zweefde ze tussen waken en slapen, deels veroorzaakt door de pijn die haar nog een lange tijd zou herinneren aan de ontmoeting met opa, en ze lag te luisteren naar wat er boven haar gebeurde. Het leek nog niet voorbij. Nu hoorde ze een zacht snikken. Het geluid kon onmogelijk van Bienvenue komen. De grote, goedlachse man zou vol overgave huilen.

Het waren haar zaken niet. Het verbaasde haar niet dat Bienvenue bezoek had, hij was een knappe man. En het verbaasde haar ook niet dat de vrouw huilde, Bienvenue leek haar een hartenbreker. Ze glimlachte en slofte naar de keuken om koffie te maken.

'Kom, Zep, dan krijg je lekkere brokken.'

De keuken baadde in het zonlicht. Al de hele week was er geen druppel uit de hemel gevallen, en enkel 's nachts zakte de thermometer onder de 25 graden. Ze geeuwde. Ze verwachtte dat het een lome dag ging worden. Ondanks de warmte wilde ze binnen blijven. Binnen was het veilig, binnen konden haar wonden helen. Buiten wachtte de confrontatie. Ze opende het kastje onder de gootsteen en haalde er Zeppos' korrels uit. Ze bereidde zijn ontbijt en toen hij het eten naar binnen smakte, opende ze de ijskast om haar eigen ontbijt klaar te maken. Ze schrok van de leegte die haar aanstaarde.

Terwijl er boven lawaai en gevloek weerklonk, ging ze aan de keukentafel zitten om een boterham te smeren. Zeppos sprong tegen haar knieën op. Ze duwde hem weg.

'Rustig, lieve jongen.'

Hoe kon ze verwachten dat die kleine energiebom rustig bleef? Ze zou er niet aan ontkomen: als het niet voor boodschappen was, dan moest ze toch nog naar buiten voor Zeppos' wandeling.

*

Pijn, pijn, pijn.

Jan Lietaer kreunde. Wat had hij een pijn!

Hij smoorde een kreun in het hoofdkussen. Hoe laat was het? Hij sloeg naar het nachtkastje. Kwart over negen. Hij gromde, hoestte een fluim op, slikte hem weg en draaide zijn hoofd nog eens in het kussen. Een dinosaurus danste op zijn hersenen. Hij had zich niet meer zo miserabel gevoeld sinds … Hij moest even nadenken. Lukte niet. Sinds een hele tijd geleden.

Hij opende één oog en keek opzij, in de leegte. Hij en Catherine sliepen allang niet meer in dezelfde kamer. Maar nu voelde de leegte toch anders, onomkeerbaar, definitief. Tot gisteravond bestond de kans, hoe klein ook, dat ze toch weer bij hem kwam liggen. Dat ze nog zouden vrijen in dit bed, in elkaars armen liggen. Hij zou tegen haar aan schurken en haar warmte voelen. Daarop had hij onbewust gewacht, al die vorige nachten dat hij hier lag te woelen, en al die vorige ochtenden dat hij hier wakker werd. Hij wachtte op het moment waarop hij zijn ogen opende en dat zij er lag, dat ze naar hem glimlachte, dat ze hem vastpakte. Elke dag dat ze in dit huis woonde, kon dat. En nu pas begreep hij dat de kans verkeken was, dat de kans alleen in zijn hoofd bestaan had.

Hij zuchtte diep. Hij liet een luide wind. Niemand hoorde het. Hij moest opstaan, er wachtte hem een moeilijke dag. Moeder inlichten, advocaat bellen, administratie verzorgen, kortom: zich voorbereiden op de oorlog met Catherine. Ook al was ze vertrokken op de fiets, ze zou wel terugkomen voor de auto. En de rest.

Hij sloeg zijn benen uit bed. *Weet je wat ik zie als ik gedronken heb*, neuriede hij terwijl hij zijn voeten in pantoffels schoof. *Allemaal beestjes*. De kamerjas voelde als een koude schuurspons. Hij opende de deur en hoorde niets.

Een totale leegte overspoelde hem. Er woonde maar één mens minder, en toch leek al het leven weggewist.

Dit was niet meer het huis waarin hij gewoond had. Dit was een ander huis. Al klom het kwik buiten tot 30 graden, hij bibberde. De traptreden kraakten luider dan anders. En toen wist hij wat er echt ontbrak. De geur van koffie. De twee kopjes koffie die Catherine dronk als ze vroeger wakker was dan hij. De geur van gezelligheid. De geur van een bijtend zure droomwolk, bleek nu.

Nú. Hij mocht niet denken aan dat woord. Nu stond hem niets prettigs te wachten, terwijl zij ... Ja, wat deed zij? Haar benen spreiden. Wreef ze nú zijn kroeskop tussen haar borsten? Masseerde ze zijn rug? Zoog ze aan zijn fluit? Jan sloeg een vuist tegen de muur.

Hij ging de trap af en opende de deur van de woonkamer. Het zonlicht beledigde hem. Hij had een humeur voor een herfstdag, niet voor weer waarbij de gelukkige gezinnetjes zandkastelen bouwden aan het strand of bootje voeren op een vijver. Vogeltjes die in een waterbadje spetterden of bijtjes die vrolijk van bloem tot bloem zoemden, hij kotste erop. Kotsen, dat was het eerste goede idee van de dag.

Dat zou voor straks zijn. Eerst water drinken, en een aspirine nemen. Hij slokte een glas naar binnen. Het water smaakte naar bedorven kaaskoekjes. Desondanks goot hij nog een glas vol, dat hij even gemakkelijk achteroversloeg. Hij nam een derde glas, en deze keer vergat hij niet de aspirine mee naar binnen te slikken.

Jan boerde. Hij keek naar de tuin, vloekte naar de molen en bedacht dat gezellige ochtenden voortaan verboden moesten worden. Hij negeerde de drang om de weekendkrant uit de brievenbus te halen en zich in de sofa te nestelen. Hij slofte naar zijn werkkamer.

Goed, wat stond hem nog te doen vandaag? Het kotsen zou hij toch maar overslaan, bij nader inzien. Hij moest alle praktische zaken afhandelen voor zijn moeder hem aansprak, zo kon hij bewijzen dat hij wel krachtdadig was en dat hij niet over zich heen liet lopen. Hij wilde alles op een rijtje hebben voor zijn moeder haar haken in zijn misère sloeg.

Hij haalde een blad papier uit de printer. Hij rommelde in de lade van het bureau en vond uiteindelijk een viltstift.

Jan twijfelde even, en schreef toen:

GEZOCHT:

PARTTIME SECRETARESSE M/V

Parttime, meer kon hij zich niet veroorloven. Zijn moeder zou tevreden zijn dat hij tenminste deed alsof hij zijn broodwinning veiligstelde. Al moest hij zich niet te veel illusies maken, ze vond altijd wel iets om hem te bekritiseren. Parttime, hoorde hij haar al sneren, geen werk genoeg voor een fulltime? Nee, hij had geen werk genoeg, dat wist ze al te goed. En nu Catherine op het punt stond een raid te beginnen op zijn bankrekening, moest hij op de kleintjes letten.

*

Een uur voordat Jan Lietaer de vacature aan het raam hing, zat Magda De Gryse in de sofa, met de krant op haar schoot, alsof ze was gehypnotiseerd door een charlatan die slechts één gedachte in haar hersens achtergelaten had: het is niet mijn schuld. Ze keek naar de foto van de mollige, lachende slager en de kleinere foto van de vermoorde inspecteur. Het is niet mijn schuld, dacht Magda. Herman was verantwoordelijk voor de hygiëne in de slagerij. Herman had bedorven paté verkocht. Die gedachte werd voortdurend verstoord door het besef dat ze misschien geen schuld had aan Hermans misdaad, maar wel enige verantwoordelijkheid droeg voor de gevolgen van haar eigen daden. Als ze niet naar de journalist had gebeld, was het nachtelijk gevecht tegen de diarree na een week enkel een nare herinnering geweest. Nu was het min of meer de aanzet geworden voor een moord.

Ze pakte een zakdoek en snoot haar neus, terwijl tranen achter haar ogen prikten. Voor de derde keer las ze de inleiding op het artikel. Ze sloeg de krant open en las opnieuw het kaderstuk over Wesleys agressie tegen een oude man. Er zat duidelijk iets fout in dat gezin. Iets waarvan Magda niets afwist. En dus ook iets wat haar niet aangerekend kon worden. Trouwens, een negatief artikel in de krant gaf je nog niet het recht iemand te vermoorden. Komaan, van een beetje kritiek hang je toch niet iemand aan een vleeshaak om hem tot biefstukken te hakken? Er zat iets zo fout bij Herman en zijn uiterlijk zo gelukkige gezinnetje dat niemand behalve hen verantwoordelijk kon worden gesteld voor dit gruwelscenario. Zeker Magda niet.

De telefoon rinkelde. Ze keek ernaar alsof ze hem met telepathische gaven het zwijgen wilde opleggen. Hij bleef doorgaan. Misschien was het een van de dochters. Evengoed kon het een journalist zijn. Daarom nam ze niet op. Walter kwam de kamer binnen.

'Neem je niet op?' Hij wandelde naar de tafel met de telefoon.

'Ik wil niet met een journalist praten.'

'Misschien is het Lisa of Laura.'

Ze schudde haar hoofd en hief de zakdoek naar haar rechteroog.

Hij ging voor haar staan.

'Het is niet jouw schuld', zei hij.

De telefoon zweeg.

*

Saskia ademde diep in, zette zich schrap en opende de deur. Zeppos rende de hitte van de dag in en verdreef daarmee Saskia's besluiteloosheid. Ze knipperde met haar ogen tegen de felle zon, en na twee rukken aan de leiband snapte Zep dat ze naar links wilde in plaats van naar rechts. Zodra hij haar bedoeling begreep, sleurde hij haar achter zich aan, als een leider zonder doel, wars van enig benul waar hij naartoe ging. Saskia hield haar blik strak op de stoeptegels gericht, ze bestudeerde het mos dat ertussen groeide. Het zag er dood uit na een week zonder regen. Nog een twintigtal tegels en ze was bij de slager, dat wist ze uit het hoofd. Ze had de indruk dat er wat commotie was bij de slagerij, maar ze durfde niet op te kijken. Dat deed ze vroeger ook niet, op school, als ze aanvoelde dat er verderop een groepje klasgenoten samendromde. Ze wilde gewoon naar binnen gaan, vlees kopen, nog eens tot de andere kant van het dorp wande- len met Zeppos, zodat hij genoeg gewandeld had voor de hele dag, en naar huis gaan.

Ze fixeerde haar blik op de barsten in de tegels. Het waren er veel. Het waren oude tegels, misschien al van voor de oorlog.

'Mevrouw, wat vindt u van de dramatische gebeurte- nissen van gisteren?'

Ze wilde niet kijken naar de eigenaar van de stem, maar ze kon niet anders door een licht dat haar frontaal als een politielamp in het gezicht scheen. Het licht was afkomstig van de camera op de schouder van een ge- blokte man die de vraagsteller, een aantrekkelijke vrouw, vergezelde. De vrouw, mooi gekleed en met een gezichts- uitdrukking die twijfelde tussen autoriteit en arrogan- tie, stelde de vraag nog eens. Ze versperde de weg voor Saskia, die nu merkte dat de slagerij afgesloten was met politielint.

De jonge vrouw duwde de microfoon brutaal onder

Saskia's neus. Ze moest het niet wagen niet te antwoorden. Toen ze niets zei, stelde de vrouw een nieuwe vraag. Ze hield de microfoon vast als een knots.

'Had u verwacht dat uw slager een koelbloedige moordenaar was?'

Saskia keek de verslaggeefster verbijsterd aan.

'U weet nog van niets?'

Saskia schudde van nee.

'Uw slager heeft een inspecteur van de voedselinspectie vermoord. Wat vindt u daarvan?'

'Dat is verschrikkelijk.' Saskia fluisterde. Ze was zich plots veel minder bewust van de aanwezigheid van de journalisten. Slager Herman? Die vriendelijke man met zijn sympathieke vrouw? Hoe kon die nu iemand vermoorden?

'Hebt u iets vreemds gemerkt de laatste tijd? Men zegt dat de hygiëne in de slagerij te wensen overliet.'

'Ik heb ... niks gemerkt.' Een hitte steeg naar haar wangen, alsof ze te lang in een stoombad had gezeten. Ik ben de enige die het niet gezien heeft, dacht ze. Het hele dorp had het door, maar ik niet.

'Kende u de slager goed?'

'Nee', piepte Saskia. Zeppos trok aan de leiband, hij wilde vertrekken, net als zij. De interviewster trok de microfoon terug naar zich toe, wellicht besefte ze dat ze het beste beeld van Saskia al had, een beeld dat het middagjournaal zou domineren: Saskia's geschrokken gezicht toen ze hoorde dat de vriendelijke slager een koelbloedige moordenaar was. Een nieuwe ruk aan de halsband van Zeppos was het perfecte excuus om het interview te beëindigen.

'Mijn hondje wil verder wandelen', fluisterde Saskia, maar noch de cameraman, noch de verslaggeefster verstond haar, en het leek hen ook niet meer te interesseren. De vrouw wees naar een huis aan de overkant, de cameraman knikte, en ze draaiden zich weg.

Allerlei gedachten schoten door Saskia's hoofd. Was dit zo'n verborgencameragrap? Ze keek nog eens om. Het politielint hing er nog, en de cameraploeg viel nu een bejaarde man lastig. Die probeerde hen tevergeefs af te wimpelen. Hij hief zijn armen in een hulpeloos gebaar en vertelde toen toch maar wat hij wist.

Het kon niet anders dan waar zijn: slager Herman had iemand vermoord. Waarom? Saskia herinnerde zich hem als een stille, vriendelijke man. Was ze te naïef geweest? Misschien was hij alleen vriendelijk omdat hij zo veel mogelijk vlees wilde verkopen. Misschien vertelde hij lelijke dingen achter de rug van mensen om, terwijl hij daarvoor nog vriendelijk 'goeiedag' en 'tot de volgende keer' had gezegd. Zou hij haar ook vermoord kunnen hebben? Als ze vandaag alleen in de winkel was geweest … Ze huiverde.

Maar nu was hij opgepakt, dat was goed nieuws. Ze was van Blaashoek beginnen te houden, en ze wilde het gevoel in een veilige cocon te wonen niet kwijtraken. Blaashoek moest haar nieuwe thuis worden, het plekje waar ze gelukkig kon zijn. Toen kreeg ze een ingeving: als er een moordenaar was opgepakt in Blaashoek, was het dorp veiliger dan ooit. In zo'n klein dorp woonden toch geen twéé moordenaars? Ze giechelde. Nee, dat kon beslist niet.

'Nee, hè, Zeppos, dat kan niet', zei ze. Ze ging door haar knieën en knuffelde de hond. Hij likte haar hand. Haar gedachten hadden haar ver afgeleid, ze was al aan de andere kant van het dorp. Een schittering trok haar aandacht, en die schittering leidde haar blik, als was het een wijzende vinger, naar een raam. Aan dat raam hing een blad papier. Het was slordig geschreven, maar het deed haar hart een sprongetje maken.

\*

Roger Hauspie baalde. Hij had zijn vrije zaterdag geofferd op het altaar van het arbeidsethos. Niet met plezier, want hij behoorde niet tot het selecte clubje agenten dat de geflipte slager ondervroeg. Hij was goed om samen met agent Huyghe de boel draaiende te houden terwijl zij de motieven aan de Blaashoekse moordenaar ontfutselden.

Roger zat in de grauwe kantine, waar doorgaans enkel het gezoem van de frisdrankautomaat zijn aandacht trok. Nu keek hij ontstemd naar de reclames op het tv-scherm dat schuin boven het prikbord hing. Die tv hing er om voetbalmatchen te volgen op eenzame avonden of het nieuws als er 'iets ernstigs' was gebeurd. De laatste keer dat er 'iets ernstigs' gebeurde, vorig jaar, bleek een Ieperse politieman vijf mensen vermoord te hebben. Het land stond in brand. En bij de politie rolden koppen. Twee dagen nadat hij ontslagen was, overleed de gerechtelijke directeur aan een hartaanval. De kantine was te klein geweest voor alle agenten die het middagnieuws in die periode wilden volgen, en hij herinnerde zich het gejouw en gevloek als de seriemoordenaar in beeld verscheen. Vandaag zou er geen gejouw weerklinken, Roger zat er in zijn dooie eentje. Zijn irritatie betrof niet de debiele inhoud van de reclamespots, maar het feit dat het er zoveel waren, en elke spot was er één te veel als je op het nieuws wachtte.

Hij prikte in het slaatje dat zijn vrouw voor hem had gemengd, uit medelijden omdat hij dienst had vandaag. Daardoor, dacht hij, hield hij van haar. Door die kleine lieve dingetjes die ze voor hem deed. Wellicht kreeg hij nu een heel jaar lang slaatjes mee naar het werk. Hij grinnikte, maar hervond zijn ernst toen de laatste programma-aankondiging – eindelijk – voorbij was en de intro van het nieuws begon. Hij schoof het slaatje van zich af.

De moord van Herman Bracke zat aan het begin van het nieuws. De nieuwslezer belichtte kort de gebeurtenissen van de vorige dag en ging redelijk snel over op een gesprekje met een gerechtspsychiater. Die wauwelde over ontoerekeningsvatbaarheid en de niet te verwaarlozen kans dat Herman een seriemoordenaar was. Roger zuchtte, daar gingen ze weer. Eén moord, en ze keerden al de kelder om op zoek naar alle vermiste meisjes van het land. De gerechtspsychiater zag er met het verwaaide kapsel, de griezelig luie ogen en de stoppelbaard zelf uit als een psychopaat. Om een psychopaat te herkennen moest je er zelf een zijn. Gerechtspsychiaters, de kwakzalvers van de hedendaagse tijd.

De nieuwslezer sloot het gesprekje af zonder wijzer geworden te zijn. Dat konden ze goed, die psychologen, ergens omheen draaien tot iedereen tureluurs was. De nieuwslezer verdween uit beeld en maakte plaats voor een zicht op een straat die Roger herkende. Wat verderop had hij twee dagen geleden nog gepraat met Walter De Gryse. Een vrouwelijke reporter kwam in beeld. Zij had de opdracht gekregen de plaatselijke bevolking lastig te vallen met vragen waarop ze geen antwoord wisten. De enige mensen die in dit soort situaties vragen konden beantwoorden, waren blaaskaken.

De reporter zei iets wat aan zijn aandacht ontsnapte. Toen verdween de vrouw als een hersenschim. Een nieuw gezicht vulde het scherm. Bleek, vermoeid, meer getekend door het leven dan goed voor haar was. Het was een gezicht waarbij je enkel droefheid kon voelen, omdat de schoonheid die ooit in haar gescholen had, verschrompeld was nog voor ze kon ontluiken. Een triestheid overviel Roger.

Saskia Maes keek in de camera als een kind dat slaag verwachtte. Hoe meer de vragen van de journaliste tot haar doordrongen, hoe meer de verbijstering op haar gezicht groeide. Ze praatte zo stil dat de eindredactie haar ondertiteld had. Net zoals de gerechtspsychiater wist ze niks zinnigs te zeggen op de stupide vragen. Nee, ze had niets gemerkt. Nee, ze had het niet verwacht. Roger leunde achterover. Toen viel zijn oog op het blauwe kader onder aan het scherm. Daarin stond de naam 'Blaashoek' terwijl het beeld van Saskia naar de gesloten slagerij ging. Roger keek drie seconden naar de frisdrankautomaat, beet op zijn onderlip en dacht: shit.

*

*I want your love love love love, I want your love!*
Wes neuriede mee terwijl hij naar de uitbaatster van de muziekwinkel spiedde. Hij hield de koptelefoon vast en wiegde met zijn hoofd. Het meisje keek naar hem en glimlachte. Ze droeg een topje. Een piercing blonk in haar navel. Uitnodigende borsten. Ze draaide zich naar het rek waarin de cd's staken. Mooie kont. Ze draaide zich en glimlachte weer. Wes bloosde.

'Goed, hè', zei ze.

Wes knikte. Zou ze weten dat hij de zoon was van een moordenaar?

'Wil je hem kopen?'

'Neuh', zei Wes te luid. Hij zette de koptelefoon af en wandelde de winkel uit. Muziek interesseerde hem niet zo. Soms leende hij een cd die hij kopieerde, regelmatig wisselde hij mp3's uit, hij klikte weleens links naar You-Tube aan, maar hij was van geen enkele groep fan en van de helft van de muziek kende hij de uitvoerder niet. Hij consumeerde het gewoon. Dat deed hij met de meeste zaken.

Hij liet zijn ogen wennen aan de zon. In de stad was het veel warmer dan in Blaashoek, daar had je tenminste nog wat wind. Tussen deze hoogbouw kreeg de wind geen kans, wat de stad veranderde in een oven.

Hij had al de hele ochtend door de stad gedwaald en vroeg zich af of het nu de rest van zijn leven zo zou gaan. Voortdurend inspecterend of iemand hem herkende, *de zoon van de moordenaar van Blaashoek*. Zijn leven zou nooit meer hetzelfde zijn. Niet hij was veranderd, maar de omgeving. Alles zag er anders uit sinds gisteren. Dreigend, vijandig, afstandelijk. Hij had nog geen enkele sms gekregen. Alsof hij plots niet meer bestond. Hij voelde zich niet meer thuis in deze straten.

Vannacht had hij niet veel geslapen. Zodra hij in slaap viel, schrok hij weer wakker. Als hij zijn ogen sloot, zag hij zijn vader met het hakmes. Zijn vader in de plas bloed van die dode vent. Zijn vader die plots naar hem keek. Die ogen. Hij zou nog een paar nachten niet slapen. Of langer.

Van de ondervraging door de politie herinnerde hij zich amper iets. Zijn vorige ontmoeting met de politie, toen hij die ouwe pervert had omvergereden, had een veel grotere indruk gemaakt. Wellicht had je per dag maar genoeg energie voor één grote indruk, en gisteren kon niets op tegen die oogopslag van zijn pa. Man, plots waren de arrestatie wegens slagen en verwondingen en het gesprek met de maatschappelijk werkster van de jeugdrechtbank zo futiel. Hij voelde tranen opkomen, omdat hij zich herinnerde hoe zijn vader hem steunde, hoe hij – geheel tegenovergesteld aan zijn moeder – geen verwijten maakte, maar enkel uit bezorgdheid goedbedoeld advies gaf. Hij onderdrukte de tranen. Dat de mensen hem aanstaarden was tot daaraantoe, maar dat ze hem zagen huilen, dat was te veel.

Huilen, dat had zijn moeder de hele dag gedaan, als ze

niet ondervraagd werd of in hysterisch gekrijs uitbarstte. De politie bracht hen onder in een huisje van de gemeente. De slagerij werd voor de zekerheid ondersteboven gekeerd, en eerlijk gezegd had hij geen nacht meer willen doorbrengen in dat huis. Zijn gevoelens tegenover het krot waarin ze werden ondergebracht waren neutraal geweest, hij had zich gevoelsmatig afgesloten. De geur van kattenpis, de schimmel op de muren, het kon hem niet schelen.

Zijn moeder jammerde en vloekte, haar humeur heen en weer dansend tussen woede en verdriet, en ze verplaatste zich door het krot als een dolle circusolifant. 's Avonds, uitgeput door haar stemmingsschommelingen, sommeerde ze hem enkele flessen wijn te kopen in de supermarkt wat verderop, en ze verschanste zich met haar schat in de slaapkamer met het bloemetjesbehang en de vochtvlekken. Vanochtend had hij haar dronken gejammer genegeerd. Hij was, na een kattenwasje in de vieze badkamer en een poging om twee happen cornflakes door zijn keel te krijgen, de straat op gegaan om door de stad te slenteren en zijn gedachten wat te verzetten.

Dat had niets opgeleverd. In het huis voelde hij zich beklemd en op straat voelde hij zich ongewenst. Hij besloot dan maar terug te keren naar zijn moeder. Daar keek hij niet naar uit. Haar kwade dronk moest nu uitgemond zijn in een nog kwaadaardiger kater. Hem wachtte een cascade van verwijten en verwensingen, niet alleen aan zijn adres en aan dat van zijn vader, maar aan het adres van heel Blaashoek en als het even kon, de hele wereld.

Hoewel hij wist dat hij de pijnlijke confrontatie alleen maar uitstelde, bleef hij toch even voor de lingeriewinkel treuzelen. Op een affiche stak een prachtige brunette trots haar boezem vooruit. De bh zou Machteld geweldig staan. O, wat wilde hij haar graag die bh cadeau doen.

162

Dat zou er niet meer van komen. Hij beet op zijn lip en wandelde verder. Bij het uitzendbureau vroeg hij zich af wat er van het meisje geworden was. Had ze ondertussen een job gevonden? Hij zuchtte. Zou hij ooit nog een job vinden? Hij wandelde verder, met zijn handen in zijn zakken, het hoofd gebogen.

Zijn tijdelijke thuis was de ideale woning voor een blinde. Al van honderd meter afstand hoorde je de housemuziek uit het raam van de buren schallen. Wes hield van een goeie dansplaat, maar dit soort gabbergedoe haatte hij. Hij haatte deze straat, de grauwe troosteloosheid. Wie hier woonde, was gedoemd.

Hij opende de deur en een zoete stank woei hem tegemoet. De lucht kwam niet uit de muren of de tapijten. Het kwam van de gestalte die op de trap lag.

Het was zijn moeder. De trede waarop haar hoofd rustte, zat onder de kots. Ze bewoog niet. Hij moest de trap op om haar te helpen. Hij moest haar rechttrekken en in bed leggen, zoals zijn vader vroeger deed.

Wes deed het niet. Hij verdreef een koude rilling en schoof langs de muur voorbij de trap. Hij lette erop niet te ademen. In de keuken ging hij aan de tafel zitten. Hij keek enkele minuten lang naar zijn handen en staarde door het raam naar een muur waarvan de witte verf bladderde.

Wes klapte zijn telefoon open. Geen enkele sms. Hij toetste het noodnummer in en twijfelde. Ze leefde niet meer, ze was dood. Maar bij die oude vent had hij zich ook vergist. Hij kon alleen zeker zijn door terug te gaan en aan haar hals te voelen. Maar hij durfde niet te bewegen. Hij bleef naar de muur kijken, naar de verf die schilferde als dode huid. Hij duwde de telefoon van zich weg.

Hij hield zijn adem in en luisterde of hij haar een beweging hoorde maken, of ze die laatste geut kots uit haar keel hoestte, of ze rechtkrabbelde om dan de keuken in te wankelen. Hij hoopte vurig dat hij dat zou horen, dat ze zichzelf redde.

Het bleef stil, op het doffe bonzen van de housebeat van de buren na. Een beat die hem ironisch genoeg deed denken aan een hartenklop. Jaren later zou hij nog altijd wakker liggen van het idee dat hij zijn eigen moeder had vermoord door die middag aan een tafel in een vuile keuken te zitten terwijl hij haar leven kon redden door de trap op te gaan.

Ongeveer een uur zat Wes daar, kijkend en luisterend, wachtend op een moeder. Toen nam hij het besluit te vertrekken. Hij negeerde de trap – en de massa die erop lag – en sloeg de voordeur achter zich dicht. Hij toetste opnieuw het noodnummer in op zijn telefoon. Een telefonist nam op. Hij vermeldde het adres en verbrak de verbinding. Toen zocht hij het dichtstbijzijnde busstation. Hij ging voor een laatste keer naar Blaashoek.

*

Saskia Maes twijfelde niet langer. Zo'n kans liet ze niet liggen. Een job op loopafstand van haar deur, bij de dierenarts die Zeppos zo lief behandeld had. Een droom! En als het een beetje meezat, werd hij deze namiddag werkelijkheid voor haar. Ze checkte haar uiterlijk in de badkamerspiegel. Ze droeg haar mooiste T-shirt boven haar beste jeansbroek. Zou ze mascara opdoen? Ooit kocht ze zo'n flesje bij de kruidenier. Ze durfde het niet te gebruiken, ze wist niet hoe het moest.

'Wat vind je ervan, Zep?'

Zep was niet onder de indruk. Hij vertrok naar de keuken. Ze ging achter hem aan.

'Jij moet braaf zijn, lieve Zeppos. Ondertussen ga ik solliciteren. Jij mag blij zijn dat je dat niet hoeft te doen!' Ze knuffelde hem, hij likte haar oor. Ze liet hem op het binnenplaatsje en sloot snel het schuifraam. Zeppos blafte en kwam aan het raam staan.

'Stil, Zeppos, het zal niet lang duren.' Hij blafte nog eens.

Ze voelde zich vreemd opgelaten, alsof ze een afspraakje had met een popster. Voor ze de keukendeur sloot, zag ze Zeppos met gespitste oren naar de windmolen staan kijken. Goed, zo had hij ook zijn bezigheid. Haar handen beefden terwijl ze de voordeur achter zich dichttrok. Haar mond was droog. Op de straat was het doods, de cameraploeg was verdwenen en het dorp had zich terug in zichzelf gekeerd, alsof het wilde bezinnen.

*

Ivan Camerlynck deed de deur van de apotheek op slot. Hij was een half uur langer opengebleven, tot één uur, omdat hij mevrouw Deknudt verwachtte. Ze was niet langsgekomen. Sterker nog, er was helemaal niemand langsgekomen. De buikloop was blijkbaar over.

Hij zou straks eens bij mevrouw Deknudt aankloppen, nu keek hij er vooral naar uit om op zijn gemak de boerenworst met appelmoes en aardappelpuree te eten. Met de dagschotel uit het warenhuis in de stad kon het weekend beginnen. Daarna zou hij alle sites en alle tv-uitzendingen afspeuren naar nieuws over de Slachter van Blaashoek. Hij grinnikte. Hij had nooit durven hopen dat zijn telefoontje naar het voedselagentschap zo'n spektakel zou teweegbrengen. Geweldig hoe alles altijd goed kwam. Als het morgen ging regenen, was het helemaal perfect, want deze hitte was hij ondertussen kotsbeu.

Terwijl zijn maal rondjes draaide in de microgolfoven, tuurde hij naar boven. Er was beweging achter het raam van de Afrikaan, maar hij kon er niet uit opmaken of de vrouw er was. Eén ding wist hij wel: het sjofele meisje van de benedenverdieping was niet thuis, want de hond blafte alsof er twintig katten aan zijn staart hingen.

Ivan zuchtte. Dan werkte je een week lang, en dan gunden die werklozen je niet eens een rustig weekend. Hij tuurde weer naar boven. Ja, daar zag hij net een lok haar. Of droomde hij het? Het signaal dat de maaltijd klaar was, bevrijdde hem van zijn gepeins.

Hij opende de microgolf, haalde de maaltijd eruit, trok aan de folie van de plastic schotel en vloekte toen enkel het lipje losschoot. Hij nam een aardappelmes uit het aanrecht, staarde snel nog eens naar boven, en sneed de folie van de schotel zoals hij vermoedde dat een chirurg de buik van een patiënt opensneed.

De puree was droog, maar smaakte voortreffelijk. De worst was sappig, al zou hij misschien eens naar de fabrikant mailen dat het velletje minder taai mocht. Hij prakte de appelmoes in de puree, zodat die vaster werd. Meer moest dat niet zijn, een maaltijd voor een man alleen.

Behalve de rust, dan. De rust die hem niet geboden werd. Was die hond nu nog altijd niet gewend geraakt aan die stomme molen? Ivan liet de half opgegeten maaltijd voor wat hij was en ging het binnenplaatsje op. De Afrikaan hield zijn raam gesloten. Ivan schoof de stoel tegen de muur en ging erop staan. Net zoals de vorige keer hield de hond nog even zijn aandacht bij de molen, om dan tegen de muur te beginnen te blaffen.

'Hou je kop', siste Ivan. De hond blafte luider.

Het was veel te warm om te bekvechten met een hond. Ivan keek om zich heen. Waarmee kon hij dat beest de schedel ingooien? Toen kreeg hij een beter idee.

*

166

De bel van de lift kondigde de derde verdieping aan. Hauspie en Huyghe stapten uit, wandelden langs de balie van de verpleegsters en klopten aan bij kamer 312. Roger trok zijn wenkbrauwen op naar Huyghe en opende de deur. In het bed aan het raam lag een oude man te slapen. Enkel het zachte gesnurk verraadde dat hij nog leefde. Het bed bij de deur was leeg.

Roger vloekte. Hij klopte op de deur van de badkamer.

'Meneer Maes?'

Hij klopte nog eens en opende de deur. Niemand.

'Godverdomme.'

Hij stapte terug de gang op en beende naar de balie. Hij trommelde met zijn vingers op het tafelblad tot een verpleegster kwam opdagen. Hij schatte haar tegen de vijftig jaar. Ze had elke categorie van moeilijke familieleden al aan de desk zien passeren.

'Waarmee kan ik u helpen, meneer?' Ze ging op een bureaustoel zitten en draaide zich naar een computer.

'We komen voor meneer Maes. Gerard Maes.'

Ze tokkelde op de computer.

'Meneer Maes, da's kamer 312.'

Ze keek van Roger naar Huyghe alsof ze probeerde de familieband te achterhalen.

'Hij is niet op zijn kamer', beet Roger.

'Ah?' De verpleegster kwam van achter de balie en slofte naar de kamer. Roger en Huyghe volgden.

'Hij is er niet', zei Roger.

'Misschien zit hij op het toilet', zei de verpleegster. Ze duwde de deur open zonder te kloppen.

'Dag, meneer Delannoy', zei ze, maar de man in het verste bed bleef snurken. Ze opende de deur van de badkamer.

'Hij is er niet', zei Roger.

'Vreemd', zei de verpleegster. 'Hij is er niet.'

Ze zette grote ogen op.

'Toen we het middagmaal kwamen afruimen, lag hij nog naar het journaal te kijken. Misschien is hij naar de cafetaria.' Ze boog zich naar het bed en fluisterde: 'Nee, zijn rolstoel staat er nog.' Ze wandelde langs Roger en Huyghe heen. In de gang verantwoordde ze zich, zonder achterom te kijken.

'Weet u, we kunnen niet voortdurend op elke patiënt letten, maar ik vind het toch vreemd dat we meneer Maes niet hebben zien vertrekken.'

Ze stond weer aan de balie en haalde haar schouders op.

'Komt u over een uurtje terug, dan heeft hij een afspraak met de dokter.'

'Dank u', zei Roger en hij haastte zich al naar de lift.

'Als Maes in de cafetaria is, eet ik mijn onderbroek op', beet hij terwijl de lift veel te traag naar beneden ging.

*

Wes stapte uit de bus. De plastic zak sneed in zijn vingers. Hij zette hem op de grond en richtte zich naar de molens, als een indiaan naar een totempaal. De wieken doorkliefden de hitte. Zo snel zag hij ze nog nooit draaien, ze waren gek geworden. Hij sloot zijn ogen en genoot van de wind die zijn haar streelde. De molens hielden hem niet tegen. Ze zouden hooguit getuigen zijn van wat komen ging. Wes bewoog zijn vingers om de bloeddoorstroming weer op gang te brengen. Hij pakte de zak op met zijn andere hand.

Het politielint aan de slagerij flapperde. Maar hij was hier voor een ander huis, aan de overkant. Meevaller: met de bus had hij de postbode gekruist. Je herkende die sul altijd aan de verbeten manier waarop hij fietste, alsof hij op het punt stond de sprint op de Champs-Elysées te winnen. De krullenbol had twee lekkere dochters op de wereld gezet, voor de rest vond Wes hem maar een loser. Het was zaterdag, verdorie, en die kerel zat alweer op zijn fiets. Hoe freaky kon je zijn? Maar de afwezigheid van meneer de wielrenner maakte het voor Wes een stuk gemakkelijker.

Hij zette de zak neer en haalde er de doos met eieren uit. De rijpe tomaten spaarde hij voor later. Zijn handen trilden, net als de eerste keer dat hij een pakje sigaretten opende, toen hij stiekem wilde roken maar zijn moeder al na drie trekken van zijn eerste sigaret zijn kamer binnenstormde. Zo lang duurde het voor het hele huis naar zijn verboden experiment rook. Ze had hem woedend een pak slaag verkocht. Zijn moeder, die nu in een plas braaksel op de trap lag.

Hij had Magda De Gryse, wier gevel hij ging bekladden, nooit gesproken. Ze was zo iemand die hij voorbijwandelde, op weg naar interessantere mensen. Nu interesseerde ze hem wel. Met vader in de gevangenis en moeder klaar voor het graf, verdiende deze vrouw een straf, hoogstpersoonlijk uitgevoerd door Wes Bracke. Ook zijn leven had ze verwoest. Hij maakte geen enkele kans meer bij Machteld. Als hij ooit nog een relatie had, zou het met een heroïnehoer zijn, of een slons uit de goot, zo'n type als het meisje dat hij had gered van de oude zak.

Het ei voelde aangenaam zwaar in zijn hand. Het stond op barsten. Hij mikte en gooide. Met een doffe knal spatte het uiteen tegen het raam. Een stuk schaal gleed loom naar beneden. Leuk. Wes nam een tweede ei. Dat spetterde uiteen net boven de vlek van het eerste. Het derde ei raakte de deur, en het vierde ging recht de brievenbus in. Megagrappig!

Wes veranderde van tactiek. Hij wilde de tomaten niet langer voor later bewaren, hij was te benieuwd om te zien of die evenveel voldoening gaven als de eieren. De eerste tomaat gaf een enorme bons op de ruit. Hij hoopte dat het raam uit elkaar ging kletteren. Toen dat niet gebeurde, keilde hij een tweede tomaat. Harder. Hij spatte uiteen tegen de muur. Slecht gemikt. De derde trof de deur. Kabang! Hoe langer hij gooide, hoe meer het hem plezierde. Hij nam een vierde tomaat toen de deur openging.

'Wil je daar eens mee ophouden!'

Zij was het. Ze kwam naar buiten en had het lef hem terecht te wijzen.

'Waar denk je dat je mee bezig bent!'

Daar stond ze, de vrouw die ervoor had gezorgd dat hij Machteld nooit zou kussen, dat hij haar borsten nooit zou strelen, dat hij de warmte van haar dijen nooit zou voelen. Ze droeg een bloemetjesjurk tot boven de knie. Ze had mooie benen, en haar decolleté deed een volle boezem vermoeden. Ze zag er goed uit voor haar leeftijd. Toen schreeuwde ze een derde keer naar hem.

*Het is op een oude fiets dat je leert rijden.* Zijn vader fluisterde het in zijn oor. De tomaat zoefde door de lucht en trof Magda De Gryse pal in het gezicht. Gillend struikelde ze achterover. Wes rende naar haar toe.

*

Jan Lietaer begreep niet wat hem overkwam. De vacature hing amper een halve dag aan het raam, en nu schudde hij al de hand van zijn nieuwe secretaresse. Het hoofd van het meisje schudde mee op en neer. Haar gezicht glom als van een hond die een barbecueworst toegeworpen krijgt. Over haar capaciteiten maakte Jan zich weinig illusies, hij mocht al blij zijn als ze het koffieapparaat en de computer aan de praat kreeg. Maar ze had ingestemd met het minimumloon (al had hij het niet zo genoemd) en ze hield van dieren. Wie weet leerde ze snel. Wie weet charmeerde ze de klanten met haar naïeve onschuld.

Misschien kon ze hem nog verrassen.

'Dan verwacht ik je maandag om half negen voor je eerste werkdag', zei Jan ten afscheid toen hij haar naar buiten leidde. De scherpte van het daglicht sneed zijn hoofdpijn open.

'Hartelijk bedankt, meneer Lietaer. Ik kijk erg uit naar maandag. Ik zal u niet teleurstellen.' Ze bloosde. Ze bleef knikken. Hij glimlachte.

'Daar ben ik zeker van', zei hij. Het meisje stapte de straat op. De glimlach om Jans lippen verdween. Een sportieve, zwarte Mercedes stopte voor de deur. Zijn moeder stapte uit en haar gezicht stond, zoals steeds, op onweer.

*

Ivan stak de straat over. Hij moest er niet bij zijn terwijl de hond het stuk boerenworst opvrat. De paracetamol zou zijn werk doen, niet zo snel als bij de kat van Magda De Gryse, maar binnen enkele dagen was de hond dood. Daarvoor was de dosis hoog genoeg.

Ivan wilde mevrouw Deknudt een bezoek brengen. Dat had je met oude mensen: ze vergaten graag dat ze je geld schuldig waren. Als dat ook weer achter de rug was, kon hij een middagdutje doen. De rolluiken had hij al naar beneden gedaan om het felle licht en de hitte buiten te houden.

Wat verderop wapperde het politielint. Hoogmoed komt voor de val. Ivan fixeerde zijn aandacht op de voordeur van mevrouw Deknudt. Daardoor zag hij de vlekken op het raam van de De Gryses niet. Niet dat het hem veel had kunnen schelen. Ivan verleende diensten aan zijn dorpsgenoten. Hun persoonlijke leven interesseerde hem niet. Het sociale leven in Blaashoek kon hem gestolen worden. Leven en laten leven.

Hij belde tweemaal kort na elkaar. Anders bestond de kans dat mevrouw Deknudt niet openmaakte. Sinds ze was opgelicht door een huis-aan-huisverkoper die haar honderd pakken toiletpapier aansmeerde, opende mevrouw Deknudt enkel de deur voor mensen die ze kende en die wisten dat ze twee keer moesten bellen. In de praktijk waren dat de dokter en Ivan Camerlynck.

Ze deed niet open. Misschien zat ze op het toilet. Of ze dommelde in de veranda, waar ze moeite had om de bel te horen. Hij belde nog eens. Tweemaal kort. Hij draaide zich om en keek naar de gevel van de apotheek. Hij moest de ramen boven eens laten schilderen. Hij verlegde zijn blik naar het aanpalende pand. Achter de ramen van de eerste verdieping hingen moderne gordijnen. Aan deze kant van het huis zouden geen naakte vrouwen te zien zijn. Ivan grijnsde.

Hij belde nog eens. Komaan, mevrouw Deknudt, we hebben niet de hele dag de tijd. Zat ze hem achter het raam te bespieden? Wilde ze niet opendoen vanwege de openstaande rekening? Dan maar een beetje aandringen.

Hij boog vorover en opende de brievenbusklep in de deur om mevrouw Deknudt te roepen. Hij kreeg geen woord door zijn keel. Een dikke vlieg vloog in zijn mond. Vijf andere vliegen ontsnapten via de brievenbus en verdwenen als viltstiftstippen in de lucht. Ivan Camerlynck deinsde kokhalzend achteruit.

*

De hond verloor zijn evenwicht. Hij rolde op zijn zij en piste bloed. Uit zijn opengesperde mond schuimde kwijl. Hij probeerde rechtop te staan, maar viel jankend op de andere zij. Het dier bleef stokstijf liggen en maakte een vreemd, raspend geluid alsof het stikte. Catherine sloeg haar handen voor haar mond.

'Bienvenue!'

De Afrikaan kwam naast haar staan. Hij volgde haar verschrikte blik.

'Mon Dieu, wat is er met dat beest?'

'Hij pist bloed! Hij gaat dood!'

Bienvenue beende in drie stappen door de kamer. Ze hoorde hem de trap af denderen. Ze ging achter hem aan. Op de benedenvloer gaf een deur toegang tot een binnenplaatsje, dat ze nooit gebruikten; het hoorde bij het appartement van het meisje. Bienvenue verplaatste de vuilnisbak en Catherines fiets, die de doorgang belemmerden, en hij stoof naar buiten.

Hij probeerde het dier te kalmeren. De raspende ademhaling werd rustiger.

'Haalt hij het?' Catherines stem sloeg over.

'*Sais pas.*' Bienvenue streelde de vacht. Hij overschouwde het strijdtoneel waarop het hondje voor zijn leven vocht. Toen raapte hij iets van de grond. Een kort stompje. Hij rook eraan en trok zijn wenkbrauwen op.

'Wat is dat?' vroeg Catherine.

'Saucisse.'

'Vergiftigd?'

'Ik ruik niets vreemds.'

De slager zat vast, die kon het niet zijn. Claire? Al deed het de ronde dat zij Magda's kat had vermoord, nu had ze andere zaken aan haar hoofd dan het doden van een hond. Ivan Camerlynck, dacht Catherine. Die gore smeerlap.

*

Ivan wankelde. Hij had een vlieg ingeslikt die daarnet nog smulde van het lijk van mevrouw Deknudt. Een dunne stroom zurigheid spatte op straat. Hij herkende er gehakt in, en puree. Het smaakte naar half verteerde appelmoes.

Tranen van walging prikten in zijn ogen. Hij hijgde na met zijn handen op zijn knieën. Hij moest de politie bellen. Hij wilde net de straat oversteken, toen een blonde vrouw uit nummer 27 op hem afstapte. Was dat de vrouw van Lietaer? Ze zag er al even slonzig uit als dat wicht van de benedenverdieping.

'Bel de politie! Mevrouw Deknudt is dood', schreeuwde hij.

'Jij vuile, smerige klootzak', riep de vrouw terug.

*

Saskia Maes glunderde. Dat het zo gemakkelijk kon gaan! Eindelijk begon ze aan de klim op de maatschappelijke ladder. Haar leven! Dat zij in handen had. Nu maakte ze deel uit van de echte wereld. Ze zou geld verdienen. Ze zou sparen, ze zou zelf betalen voor haar appartement, ze zou ooit een huis kopen. Ze wilde de beste secretaresse worden die meneer Lietaer zich kon dromen. Elke dag tussen de huisdieren, wat een verrukkelijk vooruitzicht! Ze giechelde. Ze wandelde niet meer, ze huppelde. Boven de daken zwaaiden de wieken, en Saskia zwaaide terug. Ze danste, nee, ze zweefde de kruidenierszaak in. Ze had een verwennerij verdiend, en bovenal wilde ze Zeppos verrassen met een lekkernij. Want dankzij haar lieve dier was ze bij de dierenarts beland. Zeppos kon de beste dag van zijn leven tegemoet zien.

*

'Wat is dit?' Zijn moeder griste het blad uit zijn hand. Jan had het net van het raam gepulkt. Nu keek ze vragend naar hem op.

'Waarom zoek jij een secretaresse?'

Hij draaide zich van haar weg, voor haar ogen gaten in zijn gezicht brandden.

'Ik zoek geen secretaresse, ik heb er al eentje gevonden.'

'Kan Catherine dat niet meer doen?'

Hij ging voor het raam staan.

'Catherine heeft me verlaten.'

In de stilte die volgde voelde hij haar minachting groeien. Ze had het vernederende talent om van stiltes beledigingen te maken.

'Ze gaat bij je weg?'

Hij moest het nog een keer zeggen. Ze snoof. Waarschijnlijk rook ze zelf het walmende parfum niet meer dat als een gifwolk rond haar hing.

'Ik wist dat ze je zou verlaten. Ze was te hoogstaand voor jou. Jij hebt een slons nodig, geen model.'

Jan zweeg. Hoogstaand, ze moest eens weten. Zijn moeder was er nu enkel op uit zijn bloed te laten koken. Hij liet haar begaan. Hoe sneller ze haar zin kreeg, hoe sneller ze weer wegging.

'Je hebt te weinig ambitie, Jan. Je bent saai, je bent vervelend. Een vrouw heeft spanning nodig, je moet ze uitdagen, je moet ze elke dag verrassen. Jij lummelt hier met je mislukte dierenartsenpraktijk, je zit uren aan één stuk het onkruid van tussen je planten te peuteren of je schiet als een kleuter blikjes aan stukken. Geen enkele vrouw houdt zoiets vol!'

Ondanks zijn stijgende woede bleef hij zwijgen. Aan de manier waarop ze ademde en schuifelde hoorde hij dat het haar irriteerde. Ze was een wilde kat die ongeduldig wachtte tot haar prooi dichtbij genoeg kwam om hem te bespringen.

'Weet je wie het is? Weet je wie er met je vrouw vandoor is?'

'Nee, ik weet het niet. Maar ik heb alle maatregelen getroffen. De advocaat is op de hoogte, en ik heb een nieuwe secretaresse.'

Zijn moeder monkelde en liet het blad met de vacature door de lucht glijden. Het streek neer naast zijn voeten. Ze kwam naast hem staan, haar gifwolk maakte zijn hoofd duizelig.

'Dat is zo typisch jij, Jan. Je legt je erbij neer. Je vecht niet. Je hebt geen ruggengraat. Ze zal je plukken en je weet het. Ze zal je plukken, want dat is wat er gebeurt met mislukkelingen. En jij bent een geboren mislukkeling!'

Ze bleef nog even naar hem staan kijken.

'Ga je nog wat doen?' vroeg ze. 'Of blijf je hier naar je tuintje kijken? En naar je molen?'

Haar hakken martelden de tegels, haar lach martelde zijn gemoed. De deur smakte dicht. Ze benadrukte haar vertrek nog eens door hard op te trekken. Jan vloekte en bonkte met zijn vuist op het raam. Elke seconde sloeg er een schaduw op het gras. Hij was het grondig beu. Wat hij ook deed, het was nooit goed.

Hij was het beu!

Beu beu beu!

Hij opende de wapenkast, nam de Remington Rand M1911A1 en rende de tuin in. Hij richtte het pistool naar de molen en onder de woorden 'stomme kutmolen!' vuurde hij vier schoten af.

*

'Wat heb je met die hond gedaan, klootzak?'

Catherine stoof op de apotheker af en gaf hem een duw. Ze walgde van dat zweterige lijf. Camerlynck struikelde achteruit. Hij probeerde zich vast te grijpen, maar hij vond geen houvast en belandde onhandig op zijn achterste. Hij droeg grijze wollen wintersokken in afgedragen schoenen. In dit weer. Camerlynck krabbelde recht.

'Blijf van me af, trut. Ik weet niets van een hond.'

'Je weet goed genoeg waarover ik het heb, gifmenger', beet Catherine. 'De hond van het meisje dat onder Bienvenue woont. Hij was aan het stikken in een stuk worst.'

'Daar heb ik niks mee te maken.' Hij stak nerveus zijn hemd terug in zijn broek. De kraag was grijs in plaats van wit.

'Lafaard.'

'Ah, zwijg, slet. Ga aan je negerlul zuigen', fluisterde Camerlynck.

'Wat zei je?'

Catherine stapte naar hem toe. Hij was haar voor en duwde haar de straat op. Ze verloor haar evenwicht en viel op het asfalt. Dezelfde angst overviel haar als wanneer ze in een zwembad werd geduwd. Nu vreesde ze niet te verdrinken, maar om overreden te worden door een auto die met piepende remmen probeerde te stoppen. De bumper kwam op nog geen tien centimeter van haar gezicht tot stilstand. Ze kon de modderspatten op de nummerplaat tellen. Ze ging rechtop zitten en keek naar de grille. Het was een Mercedes. Een norse, oude man opende het portier. Hij hinkte naar haar toe.

'Nou, mevrouwtje, dit is geen plaats om te gaan zonnebaden.'

Hij hielp haar rechtop. Ze knikte beleefd, checkte of er nog andere auto's waren, en haastte zich naar Bienvenue.

*

Ivan gokte op donkergroen, maar de Mercedes zat zo erg onder de modder dat de oorspronkelijke kleur ook grijs of donkerblauw kon zijn. Een oude boer hielp de vrouw van Lietaer recht, waarna ze snel de straat overstak en in het huis verdween. Ze had plots heel wat minder praats, de laffe slet.

'Dag, meneer', zei de boer. Ivan knikte.

'Meneer,' ging de boer verder, 'weet u welk huis hier eigendom is van de gemeente?'

Ivan wees naar het huis waar de trut van Lietaer was binnen gevlucht. Dat hij over haar had gefantaseerd, onvoorstelbaar vond hij het nu.

'Daar', zei hij. 'Het huis waar de vrouw die u net niet omverreed, naartoe liep.'

'Als je niet overreden wil worden, moet je niet midden op de straat gaan liggen', gromde de boer.

'U hebt gelijk. Ah, het is altijd hetzelfde soort volk dat last bezorgt. Bijna was uw auto beschadigd, of kreeg u nog een proces aan uw broek.'

De boer lachte.

'Processen, daar veeg ik mijn gat mee af. Ik los mijn zaakjes zelf op, zoals het vroeger de gewoonte was.'

Hij wandelde naar de kofferbak van zijn roestbak en opende hem.

'Dus dat huis naast de apotheek, zegt u?'

'Inderdaad', zei Ivan.

'Gaat u maar vlug naar huis, meneer', zei de boer terwijl hij in zijn kofferbak rommelde. 'Dit is niet voor gevoelige kijkers.' Terwijl Ivan zich uit de voeten maakte, bleef een vettig gelach in de lucht hangen.

*

De eerste twee kogels vlogen naast de molen, de ene belandde in een veld van boer Pouseele, de andere in de kruin van een oude beuk. De volgende twee raakten de molen met een felle metalen tik. Ze ketsten weg. De eerste verdween in noordelijke richting en eindigde in een aardkluit langs het Blaashoekkanaal. De laatste kogel boog af naar het dorp en doodde een mens.

Jan Lietaer haalde diep adem en zuchtte. Wat stond hij hier in 's hemelsnaam te schieten op die stomme molen? Hij kende toch een veel beter doelwit? Hij keek van het wapen naar de molen. Met een gelukzalig gevoel rende hij de straat op.

*

Er waren drie soorten blikken: kalkoen met worteltjes, kalfsvlees met saus, en rundvlees met pasta. De kleine kuipjes in het volgende rek trokken Saskia meer aan: lam op mediterrane wijze, rund met Italiaanse pasta en kip met groentepaté. Zeppos verdiende de lekkerste maaltijd van zijn leven en de keuze maakte het haar niet gemakkelijk.

De blikken bevatten meer eten en waren vier keer goedkoper, maar de kuipjes zagen er zo lekker uit. Op de verpakking lachte een schattig hondje haar toe. Hij zag er gelukkig uit, met zijn blinkende oogjes en zijn roze tong uit zijn mond, en ze wilde Zeppos even vrolijk zien. Ze telde twee keer de munten in haar portemonnee, nam een kuipje rund met Italiaanse pasta, probeerde niet meer naar de prijs te kijken en wandelde naar de bakkerijafdeling. Ze bestelde een eclair, en haar gevoel dat ze een spilzieke gulzigaard was, bezorgde haar een rode kop. Dorien Chielens had gezegd dat ze van het leven mocht genieten, dat ze zichzelf af en toe een cadeautje moest gunnen, dat het niet erg was om eens zot te doen. Vooral niet op een speciale dag, en dit was vast en zeker een speciale dag. Dorien zou nogal opkijken, als ze hoorde dat Saskia een job had gevonden!

Met een brede glimlach stapte Saskia naar buiten. De glimlach lag nog op haar gezicht toen de afgeketste kogel van Jan Lietaer haar dodelijk raakte, op het gelukkigste moment van haar leven. Ze viel voorover en een kuipje hondenvoeding rolde uit haar hand.

*

Door haar tranen zag ze enkel een donkere vlek waar Bienvenue stond. De vlek werd groter en vulde haar hele gezichtsveld. Ze voelde de spieren in zijn armen.

'Hij heeft me ...'

'Ik los dit op', zei Bienvenue.

Ze had de fut niet hem tegen te houden.

*

Roger draaide de Blaashoekstraat in en herkende de forse gestalte die naar de overkant hinkte. Hij hield een tweeloop dicht tegen zijn lijf gekneld.

'Godverdomme', vloekte Roger. Hij zette de sirene aan, het had geen enkel effect op boer Maes.

'Leg dat wapen neer!' Huyghes stem schalde door de Blaashoekstraat. Toen ging de deur van het huisje open. Een zwarte man kwam naar buiten. Het was te laat voor waarschuwingen. Roger remde, greep zijn wapen en dook uit de patrouillewagen.

*

Jan Lietaer vloekte. Er zat nog één kogel in de Remington Rand, en hij besefte net dat hij twéé perfecte doelwitten kende. Het was onmogelijk met één kogel hen alle twee af te maken. Nu, de keuze zou snel gemaakt zijn: de eerste van de tortelduifjes die zijn pad kruiste, ging eraan.

Zijn belabberde conditie dwong hem van een drafje in een stevige tred over te gaan. Hij zou nog wat op de home-

180

trainer moeten zitten voor het jachtseizoen begon. Of het kwam door die helse hitte. En door die eeuwige wind.

Bij de kruidenierszaak was er iets aan de hand. In de deuropening stond Patricia, de kruideniersvrouw, wilde gebaren te maken met haar ene arm, terwijl ze schreeuwde in een draagbare telefoon. Aan haar voeten lag een meisje. Ze leek flauwgevallen, maar het bloed dat van onder haar lichaam in de goot lekte, deed erger vermoeden. Veel erger. Jan rende op het meisje af.

De kruideniersvrouw tierde hysterisch.

'Ze viel! Ze ging naar buiten en ze viel! O god, al dat bloed!'

Nu herkende hij Saskia Maes. Hij voelde aan haar hals, zijn hand kwam onder het bloed te zitten. Een zwakke hartenklop. Haar ogen stonden bol en glazig. Jezus, wat was er hier gebeurd?

Ze fluisterde. Zep, zep, zep.

'Stil maar, Saskia, het komt allemaal in orde.'

Haar ogen rolden, hij zag alleen nog het wit. Ze verloor te veel bloed. Het drong in zijn hemd, in zijn broek. Het drong ook zijn ziel binnen, want zoals Saskia's bloed uit haar lichaam vloeide, zo stroomde bij hem de woede weg, zijn razernij tegenover Catherine en haar neger, een razernij die hem nu uit een andere wereld voorkwam.

Een politiesirene loeide en een vrouwenstem galmde door een megafoon.

'Leg dat wapen neer!'

Geschrokken keek Jan op. Even dacht hij dat de agente in de patrouillewagen het tegen hem had. Toen zag hij een oude man de straat oversteken. Hij droeg een tweeloop, een Blaser, gokte Jan. Had die ouwe Saskia neergeschoten? Dat kon niet anders. Een agent dook van de bestuurdersstoel.

Aan de overkant van de straat kwam een zwarte man uit nummer 27.

'Bienvenue!' riep Jan.

De zwarte man keek hem aan, enkele seconden maar, en toen veranderde zijn hoofd in een explosie van vlees, botten en bloed.

*

Je kon het vergelijken met een valse hond. Die was niet te vertrouwen, hoeveel energie je er ook in stak. Een onbetrouwbaar dier is een nutteloos dier. Dat maakte je af. Het verwijfde stadsvolk dacht misschien dat een dier bestond om te knuffelen, maar hij kende tenminste nog de taak van zijn beesten: de kat ving de muizen, de hond bewaakte het erf, het varken leverde koteletten. En de vrouw deed het huishouden. Saskia was onbetrouwbaar geworden, net zoals haar moeder. Ze viel niet meer te redden. Hij kon er beter een einde aan maken nu de eer van de familie nog niet te veel gekrenkt was.

Hij ergerde zich aan de heup die zeurend aan zijn zenuwen trok. Pijn wilde hij het niet noemen. Pijn was voor vrouwen en homo's.

De deur van het huis ging open. Mooi, dan hoefde hij al niet meer aan te bellen. Een grote neger kwam op hem af. Maes twijfelde niet. Hij schoot.

*

Bienvenue had enige tijd nodig om zich te oriënteren. Links van hem stond een politiewagen, waaruit twee agenten kwamen gesprongen. En rechts hoorde hij zijn naam roepen. Was dat de man van Catherine? En richtte hij echt een wapen? God, die kerel zou toch geen scène maken?

Nog voor hij kon begrijpen dat het gevaar niet van Jan Lietaer kwam, spatte Bienvenues hoofd uiteen. Zijn lichaam zette nog twee stappen voor het in elkaar zakte.

182

*

Jan kokhalsde. In wat voor nachtmerrie was hij beland?

'Leg dat wapen neer!' In de stem van de vrouwelijke agente trilde paniek toen de boer zich naar de agenten richtte. Net op tijd herinnerde Jan zich de Remington Rand. Hij greep hem en schoot. Hij miste de boer. Een raam van de patrouillewagen sprong in stukken en de mannelijke politieagent werd vloekend bedolven onder de scherven.

*

Boer Maes had niet veel tijd meer. De mannelijke flik wilde hem mollen, maar op de een of andere manier schoot hij zijn eigen ruit in. Dat was nu de moderne politie, de parkeerbonnenschrijvers. Maes grinnikte. Over de andere agent maakte hij zich geen zorgen, het was een vrouw. Hij richtte zich opnieuw naar de openstaande voordeur, stapte over het lijk van de neger en versnelde zijn pas.

*

Roger Hauspie sneed zijn vingers aan het glas dat hij uit zijn haar veegde. Er zat bloed op zijn voorhoofd. Een zorg voor later. Hij dook de patrouillewagen in en greep naar de radio. Hij vroeg om versterking en merkte dat Huyghe was verdwenen.

*

Zijn instinct leidde de weg. De benedenverdieping leek verlaten. Hij stormde de trap op. Hij rook haar angst, hij voelde haar onrust. Een dier in de val. Niets mooier dan een dier dat weet dat het gaat sterven.

183

'Dacht je nu echt dat je kon ontsnappen? Dacht je echt dat je zomaar weg kon lopen, stomme geit', schreeuwde boer Maes. Hij klemde de tweeloop stevig in zijn grote handen. Hij was hoog genoeg de trap opgeklommen om op de overloop te kijken. De deur van het appartement stond open. Hij hoorde gestommel, en een zacht grienen. Zijn instinct had gelijk. Zijn instinct had altijd gelijk.

'Je hebt er zelf om gevraagd, Saskia! Het is allemaal je eigen schuld!'

*

Catherine had het zien gebeuren van achter het gordijn in Bienvenues appartement. Ze zag de stinkende boer met zijn tweeloop zwaaien, ze zag de politiewagen halt houden, en plots stond Bienvenue onder het raam. Ze gilde toen de boer schoot en ze gilde nog harder toen ze zag wat er met Bienvenue gebeurde. Toen de politieman uit de patrouillewagen dook, dook ze zelf achter de sofa en kroop ze op handen en voeten naar de slaapkamer. Ze hoorde een nieuw schot en hoopte dat de agent de gestoorde boer had neergelegd. Voor alle zekerheid bleef ze achter het bed zitten, haar ogen gericht op de openstaande slaapkamerdeur, die uitkeek op het halletje. Ze huiverde. Ze bad dat de eerste persoon die in haar gezichtsveld kwam, er eentje in een politie-uniform zou zijn.

*

Roger Hauspie leunde achterover. Dat er versterking onderweg was, stelde hem niet gerust. Het kon nog tien minuten duren tot die er was, en in die tien minuten kon hij Huyghe niet te hulp schieten. Het bloed liep onder de hand die hij tegen zijn voorhoofd drukte, en het prikte in zijn ogen, waardoor Roger de man niet herkende die aan

184

de passagierskant van de patrouillewagen verscheen.

'Mijn excuses, meneer de agent', hijgde de man. Zijn stem trilde. 'Ik wilde die gek neerschieten, maar raakte per ongeluk uw auto.'

'Dat komt ervan als u de held uithangt', snauwde Roger. Hij proefde een metalige smaak, alsof hij op een lepel zoog.

'Het spijt me vreselijk. Laat me eens uw wonden bekijken.'

Roger voelde de handen van de man over zijn hoofd schuiven.

'Het ziet er erger uit dan het is', mompelde de man. Roger hoorde hoe de man zijn hemd losknoopte, er een stuk van scheurde en het op zijn voorhoofd duwde.

'Hou dit er stevig tegenaan.'

Hauspie gromde.

De man maakte aanstalten de wagen te verlaten. 'Ik ga ...'

'Nee! U gaat helemaal niets! U hebt al genoeg schade aangericht. U blijft hier samen met mij wachten op versterking. Als u de wagen verlaat, schiet ik u neer. Ik kan misschien niet meer mikken, maar wees er zeker van dat ik u raak.'

De man schoof terug op de passagiersstoel. Hij zuchtte, tot grote ergernis van Hauspie.

'En als agent Huyghe iets overkomt, schiet ik u alsnog neer.'

*

Catherine greep de lakens en duwde haar neus in de matras, die nat werd van haar tranen. Haar geest klampte zich vast aan de geur van de lakens, de geur van haar en de man die beneden op straat lag, en een vreemde rust overviel haar. Was dit de straf voor haar overspel?

Bestond er toch een goddelijke macht die oordeelde over goed en kwaad, en die voor haar deze boer uit de hel had gestuurd? Ze hoorde hem een paar verwijten uitkramen voor de overloop kraakte onder zijn gewicht. Toen verscheen hij in het halletje. Ze gilde terwijl hij het wapen op haar richtte.

*

Het was Saskia niet. Het was het wijf dat zich voor zijn auto had geworpen. Ze tierde, de gekkin. Hij vloekte.

'Saskia, waar ben je?'

Hij draaide zich terug naar de voordeur van het appartement. Zat ze toch beneden? Had dat serpent hem misleid? Hij hoorde de trap kraken. Probeerde ze te ontsnappen? Hij beende naar de overloop.

'Waar ben je, jij vuile slons!'

Verder kwam hij niet.

*

Drie knallen galmden door het gebouw. Catherine klauwde in de lakens. Door haar tranen zag ze de lompe figuur van de oude man het halletje in vallen. Een doffe plof en hij verdween uit haar zicht. Was hij dood? Ze hoorde niks behalve het kloppen van haar eigen hart. Snot en tranen, die ze niet meer kon tegenhouden, mengden zich in de lakens. Ze ademde zwaar door haar mond, en haar huilen was geluidloos.

Een tweede gedaante kwam het halletje binnen. Ze treuzelde even, en kwam op Catherine af. Ze herkende een politie-uniform.

'Het spijt me', snikte Catherine. 'Het spijt me zo.'

'Stil, maar', zei de vrouw, die haar armen rond haar sloeg. 'Het is voorbij.'

Wes merkte dat het zinloos was. Een paar keer had hij geprobeerd om zijn penis bij Magda De Gryse binnen te brengen, maar nu was zijn leuter slap en bleef hij slap. Hij vloekte. Hij had haar suf geslagen en op de sofa gesleept, waar hij haar jurk tot over haar hoofd stroopte. In de stof had zich een donkerrode vlek gezogen, een mengeling van bloed en tomatensap.

Zijn erectie was pijnlijk hard geweest terwijl hij haar slip uittrok. De bh had hij onhandig naar boven geschoven, hij kreeg de sluiting niet open. Toen ze daar eindelijk lag, grotendeels naakt en kreunend, wist hij niet meer wat te doen. Haar lichaam was minder mooi dan hij verwacht had (een groot litteken ontsierde haar buik), maar het vooruitzicht op seks maakte hem geil. Hij voelde aan haar borsten en woelde in haar schaamhaar. Hij wreef over de schaamlippen, die zacht en droog waren. Toen deed hij zijn broek uit en ging op haar liggen, maar zijn piemel ging niet naar binnen. Nochtans zou dat heel gemakkelijk moeten gaan, in de pornofilmpjes die hij van schoolvrienden kreeg gemaild, floepten de lullen erin alsof de kutjes ze naar binnen zogen. Zijn lul was slap geworden en het had hem vijf minuten rukken gekost om hem weer recht te krijgen. De tweede poging mislukte ook, net als de derde. Het was zinloos.

Hij vervloekte haar. Dit wijf had alles voor hem verpest. Hij trok zijn broek op. Zijn vader in de gevangenis, zijn moeder dood, Machteld voor altijd verloren en nu ontnam ze hem de ontmaagding waarop hij recht had. Hij greep een kandelaar van de vensterbank en kreeg even het idee om haar lichaam ermee te bewerken.

Een sirene weerklonk, verrassend dichtbij.

'Leg dat wapen neer!'

Verschrikt keek hij achter zich, naar de tuin. Had de politie het huis omsingeld?

Toen klonk een schot.

'Leg dat wapen neer!'

Nog een schot.

Hij dook in elkaar en sloop naar de gang. Stilletjes opende hij de voordeur. Wat verderop stond een patrouillewagen. Door de achterruit kon hij niet zien of er iemand in zat. Hij wandelde de andere kant op terwijl er nog eens drie schoten klonken. In de verte hoorde hij meer sirenes. Hij begon te rennen. Aan het Blaashoekkanaal pauzeerde hij. De wieken van de molens draaiden heel traag, in slowmotion. De beweging stelde hem gerust, alsof de molens de tijd vertraagden en hem zo de kans gaven te ontsnappen. Toen hij Blaashoek verliet, keek hij niet meer achterom.

*

Met zijn hoofd in een nevel van overpeinzingen reed Walter De Gryse langs het Blaashoekkanaal. Maandag kon hij zijn job kwijt zijn, omdat een Limburger met te veel fantasie en te weinig medeleven hem zo nodig moest aangeven bij de politie. Openbare zedenschennis, jongens toch. Walter schudde het hoofd. Hij keek de helling af, naar de aanlegsteiger. De Egoïste lag er niet meer. Typisch. Andere mensen in de problemen brengen en er dan vanonder muizen. Waarom deden mensen elkaar toch zulke dingen aan? Ze koeioneerden elkaar in een onbezonnen bui, ze moordden elkaar uit in een vlaag van woede. Hij stopte. Was er nog iets te zien van zijn avontuur? Nee. De natuur, dacht hij, is wonderlijk.

Hoorde hij daar een paar knallen? Hij spitste de oren. Het kwam uit de richting van het huis van Jan Lietaer. Oefende hij voor het jachtseizoen? Er was niets meer te

horen, behalve het kabbelen van het water, een dierenge-
luid hier en daar, en het ruisen van de wind.

Nu een sirene, enkele seconden maar, en een nieuw
schot. Hij keek achterom, de weg langs het Blaashoekkanaal was leeg. Het dorp lag vredig onder de loden zon.
Hij verbeeldde het zich. Hij had vannacht weinig slaap
gehad. Het hele dorp had waarschijnlijk niet geslapen
na het afschuwelijke nieuws over Herman. Herman, zijn
sympathieke overbuur. Wie had dat van hem kunnen
denken?

Magda, misschien.

Zij had gezien dat er iets aan Herman scheelde. Magda
was een harde vrouw, soms koesterde ze een onredelijk
vooroordeel tegen iemand, en je kon haar met moeite
van gedachten doen veranderen. Maar meestal kreeg ze
gelijk. Hoe vaak had Walter haar niet heimelijk uitgela-
chen met haar verdachtmakingen aan het adres van Herman en Claire over de moord op Minous? Nu klonk dat
verhaal heel geloofwaardig. Als Herman zonder blikken
of blozen een voedselcontroleur aan mootjes hakte, zou
hij zijn hand niet omdraaien voor de kat van de buren.
Walter huiverde, terwijl hij in zijn fantasie nog eens drie
schoten hoorde.

Net toen hij zijn voet terug op het pedaal plaatste,
klonk vanaf de stad het gejank van sirenes. Het geloei
kwam dichterbij.

'Mensen zijn monsters', fluisterde hij.

Hij keek naar de molens. De wieken stonden stil.

Hij sloot zijn ogen. Hij deed ze weer open.

De molens stonden roerloos. Als bevroren.

Hij zette zijn voet op de pedalen. Water klotste langs de
lege aanlegsteiger, op de helling wiegden de boterbloempjes. De wind woelde door zijn krullen, maar de molens
bleven onbewogen.

Misschien moest hij zijn leven ook een tijdje stilzetten. Misschien was het eindelijk tijd geworden om met Magda naar de hagelwitte stranden te reizen waar hij als kind van droomde. Na alles wat er gebeurd was, zou een verandering van lucht hun deugd doen.

Hij kreeg honger. Hij had zin in een boterham. Zonder zomerpaté, vanaf nu.

Onder het steeds luider wordende geluid van de sirenes fietste hij naar huis.